Elogios Para *O Codificador Limpo*

"Tio Bob" Martin definitivamente eleva o nível com este seu último livro. Ele explica suas expectativas para que um programador profissional gerencie interações, tempo, a pressão, a colaboração e a escolha de quais ferramentas usar. Além de TDD e ADDT, Martin explica não somente o que todo programador que se considera profissional precisa saber, mas também o que precisa seguir, a fim de fazer com que a jovem profissão de desenvolvimento de software cresça.

— Markus Gärtner
Desenvolvedor Sênior de Software
it-agile GmbH/www.it-agile.de/www.shine.de (conteúdo em inglês)

Alguns livros técnicos inspiram e ensinam; outros encantam e divertem. Raramente, um livro técnico faz todas essas quatro coisas. Na minha opinião, os livros de Robert C. Martin sempre atendem a esses requisitos, e *O Codificador Limpo* não é exceção. Leia, aprenda e viva as lições deste livro e você poderá intitular-se um profissional de software.

— George Bullock
Gerente Sênior de Programação
Microsoft Corp.

Se o curso de Ciência da Computação tivesse "leitura obrigatória após a graduação", seria esta. No mundo real, o código ruim não desaparece quando o semestre acaba, você não recebe um A por ter feito uma maratona codificadora na noite anterior da devida tarefa e, pior de tudo, você precisa lidar com pessoas. Então, gurus da codificação não são, necessariamente, profissionais. *O Codificador Limpo* descreve a jornada ao profissionalismo... e faz um trabalho notavelmente divertido a partir dela.

— Jeff Overbey
Universidade de Illinois em Urbana-Champaign

O Codificador Limpo é muito mais que um conjunto de regras e diretrizes. Ele contém conhecimento e sabedoria conquistados a duras penas, que normalmente são obtidos por muitos anos de tentativa e erro, ou ao trabalhar como aprendiz de um mestre. Se você se intitula profissional de software, precisa deste livro.

— R. L. Bogetti
Projetista de Sistema de Liderança
Baxter Healthcare/www.RLB...

O Codificador Limpo

O Codificador Limpo

Um Código de Conduta para Programadores Profissionais

Robert C. Martin

Rio de Janeiro, 2012

ISBN: 978-85-7608-647-5

Produção Editorial
Editora Alta Books

Gerência Editorial
Anderson da Silva Vieira

Supervisão Editorial
Angel Cabeza
Augusto Coutinho

Controle de Qualidade Editorial
Sergio Luiz de Souza

Editoria de Informática
Bruna Serrano
Lorrane Martins

Equipe Editorial
Adalberto Taconi
Andrea Bellotti
Andreza Farias
Cristiane Santos
Daniel Siqueira
Eliane Chagas
Gianna Campolina
Heloisa Pereira
Isis Batista
Iuri Santos
Jaciara Lima
Jéssica Vidal
Juliana de Paulo
Lara Gouvêa
Licia Oliveira
Marcelo Vieira
Milena Souza
Pedro Sá
Patrícia Fadel
Paulo Roberto
Rafael Surgek
Thiê Alves
Vanessa Gomes
Vinicius Damasceno

Tradução
Alexandre Callari

Copidesque
Adriana Merly Farias

Revisão Gramatical
Sônia Macedo Leffa
Vanessa Gomes

Diagramação
Greice Mary

Marketing e Promoção
Daniel Schilklaper
marketing@altabooks.com.br

1ª Edição

Dados Internacionais de Catalogação na Publicação (CIP)

M382c Martin, Robert C.
O codificador limpo : um código de conduta para programadores profissionais / Robert C. Martin ; [tradução Alexandre Callari]. – Rio de Janeiro, RJ : Alta Books, 2012.
244 p. : il.
Inclui índice e apêndice.
Tradução de: The clean coder: a cod of conduct for professional.
ISBN 978-85-7608-647-5
1 1. Programação (Computadores) - Aspectos morais e éticos. 2. Programação (Computadores) - Ética profissional. I. Título.
2

CDU 004.42:174
CDD 005.1092

Índice para catálogo sistemático:
1. Programação : Computadores : Ética profissional 004.42:174
(Bibliotecária responsável: Sabrina Leal Araujo – CRB 10/1507)

ALTA BOOKS
EDITORA

Rua Viúva Cláudio, 291 – Bairro Industrial do Jacaré
CEP: 20970-031 – Rio de Janeiro – Tels.: 21 3278-8069/8419 Fax: 21 3277-1253
www.altabooks.com.br – e-mail: altabooks@altabooks.com.br
www.facebook.com/altabooks – www.twitter.com/alta_books

Entre 1986 e 2000, trabalhei com Jim Newkirk, um colega de Teradyne. Partilhávamos uma paixão pela programação e pelo código limpo. Passávamos noites, finais de tarde e fins de semana juntos, brincando com diferentes estilos de programação e técnicas de desenvolvimento. Estávamos o tempo todo conversando sobre ideias de negócios. Finalmente, criamos juntos a *Object Mentor, Inc.* Aprendi muitas coisas com Jim na medida em que traçávamos nossos planos juntos. Mas uma das coisas mais importantes foi sua atitude de *trabalho ético*; era algo que eu lutava para emular. Jim é um profissional. Tenho orgulho de ter trabalhado com ele e chamá-lo de amigo.

Sumário

Prefácio

Você escolheu este livro, então presumo que seja um profissional de software. Isso é bom; eu também sou. E uma vez que tenho sua atenção, permita-me dizer por que eu escolhi este livro.

Tudo começou há pouco tempo em um lugar não muito distante. Abram as cortinas, luzes e câmeras, Charley...

Anos atrás, eu trabalhava em uma empresa de médio porte vendendo produtos altamente regulados. Você conhece o tipo: sentávamos em cubículos, em um prédio de três andares, diretores e seus superiores tinham escritórios privados, e juntar todo mundo que você precisava para uma reunião levava uma semana.

Operávamos em um mercado bastante competitivo quando o governo tornou um novo produto acessível.

De repente, tínhamos um conjunto de clientes em potencial completamente novo; tudo o que necessitávamos fazer era dar um jeito para que eles comprassem o produto. Isso significava que precisávamos pedir determinado prazo para o governo federal, passar uma auditoria de avaliação em outra data e chegar ao mercado em uma terceira.

Repetidamente, nosso gerente enfatizava a importância daquelas datas. Uma única escorregada nos deixaria de fora do mercado por um ano, e se os clientes não pudessem se cadastrar no primeiro dia, então todos se cadastrariam com outro e estaríamos fora do negócio.

Esse é o tipo de ambiente no qual algumas pessoas reclamam e outras apontam que a "pressão produz diamantes".

Eu era gerente de projeto técnico, promovido do setor de desenvolvimento. Minha responsabilidade era a de colocar o site no ar diariamente, de forma que os clientes potenciais pudessem baixar informações e, mais importante, os formulários de cadastramento. Meu parceiro na empreitada era o gerente de projetos de negócios, a quem chamarei de Joe. O papel dele era de gerenciar o outro lado, lidando com vendas, marketing e as exigências que não fossem técnicas. Ele também era o cara que gostava do comentário "pressão produz diamantes".

Se você já trabalhou bastante no mundo corporativo, provavelmente já viu os dedos apontados, à procura de culpados e pessoas com aversão ao trabalho, o que é completamente natural. Nossa empresa tinha uma solução interessante para esse problema, comigo e com Joe.

Um pouquinho como Batman e Robin, nosso trabalho era de fazer com que as coisas acontecessem. Eu me encontrava com a equipe técnica diariamente em um canto; repassávamos a agenda todo santo dia, descobríamos o caminho principal e, então, removíamos cada possível obstáculo dele. Se alguém precisava de software; íamos buscá-lo. Se eles "adoravam" configurar o firewall, mas "Caramba, é hora do almoço", comprávamos almoço para eles. Se alguém quisesse trabalhar em nosso ticket de configuração, mas tivesse outras prioridades, Joe e eu falávamos com o supervisor.

Depois, como gerente.

Depois, como diretor.

Conseguíamos que as coisas fossem feitas.

É um pouco de exagero dizer que chutávamos cadeiras para o alto, gritávamos e dávamos escândalo, mas usamos cada técnica disponível para conseguir que as coisas fossem feitas, inventamos algumas novas ao longo do caminho e fizemos isso de uma forma ética, que me orgulha até hoje.

Eu pensava em mim mesmo como um membro da equipe, não passando por cima dela para escrever uma instrução SQL ou fazer um breve emparelhamento a fim de obter um código. Ao mesmo tempo, pensava em Joe da mesma maneira, como membro da equipe, não acima dela.

Finalmente, percebi que Joe não partilhava da mesma opinião. Aquele foi um dia muito triste para mim.

Era sexta-feira às 13h; o site estava programado para entrar no ar bem cedo na segunda-feira seguinte.

Havíamos acabado. *ACABADO*. Todos os sistemas estavam preparados, assim como nós. Eu tinha a equipe de tecnologia inteira convocada para a reunião final e estávamos prontos para ligar o interruptor. Mais do que "somente" a equipe técnica, tínhamos conosco as pessoas de negócios do marketing, os donos do produto.

Estávamos orgulhosos. Era um bom momento.

Então Joe apareceu.

Ele disse algo como, "Más notícias. O jurídico não tem os formulários de cadastro ainda, então não podemos entrar no ar".

Isso não era grande coisa; tínhamos sido detidos por uma coisa ou outra ao longo de todo o projeto e tínhamos a rotina Batman/Robin na ponta da língua. Eu estava pronto e minha resposta foi essencialmente: "Ok parceiro, vamos fazer isso mais uma vez. O jurídico fica no terceiro andar, certo?".

Aí as coisas ficaram estranhas.

Ao invés de concordar comigo, Joe perguntou, "Do que você está falando, Matt?".

Eu disse, "Você sabe. Nosso velho truque. Estamos falando de quatro arquivos em PDF, certo? Eles estão feitos; o jurídico só precisa aprová-los? Vamos aparecer em seus cubículos, dar uma olhada feia e conseguir que isso *seja feito*!".

Joe não concordou com o que eu disse e respondeu, "Nós entramos no ar um pouco depois na semana que vem. Não é grande coisa".

Você provavelmente pode adivinhar o resto de nossa conversa; foi algo mais ou menos assim:

Matt: "Mas por quê? Eles podem fazer isso em poucas horas."

Joe: "Pode levar mais do que isso."

Matt: "Mas eles têm todo o final de semana. Tempo o suficiente. Vamos lá!."

Joe: "Matt, eles são profissionais. Não podemos simplesmente encará-los e pedir que sacrifiquem suas vidas pessoais por nosso pequeno projeto."

Matt: (pausa) "... Joe... o que você acha que temos feito com a equipe de engenharia nos últimos quatro meses?."

Joe: "Sim, mas esses são profissionais."

Pausa.

Respire.

O. Que. Joe. Acabou. De. Dizer?

Na época, eu achava que a equipe técnica era profissional no melhor sentido da palavra.

Relembrando isso, contudo, não tenho tanta certeza.

Vamos dar uma olhada na técnica Batman e Robin uma segunda vez, de uma perspectiva diferente. Eu achava que estava extraindo o melhor desempenho da equipe, mas suspeito que Joe estava jogando, com a suposição implícita de que a equipe técnica era seu oponente. Pense no assunto: por que era necessário correr por todos os lados, chutar cadeiras e inclinar-se sobre as pessoas?

Não deveríamos ter sido capazes de perguntar à equipe quando eles teriam o trabalho feito, obter uma resposta firme, acreditar no que nos foi dito, e não sermos queimados por aquela crença?

Certamente, como profissionais, nós deveríamos... e, ao mesmo tempo, não podíamos. Joe não confiava em nossas respostas, e se sentia confortável microgerenciando a equipe técnica – e ao mesmo tempo, por algum motivo, ele confiava na equipe jurídica e não estava disposto a microgerenciá-la.

O que isso quer dizer?

De alguma maneira, a equipe jurídica havia demonstrado profissionalismo de uma forma que a técnica não tinha.

De algum modo, o outro grupo havia convencido Joe de que eles não precisavam de uma babá, que não estavam jogando, e que precisavam ser tratados como colegas a serem respeitados.

Não, eu não acho que isso tenha algo a ver com certificados extravagantes pendurados nas paredes ou alguns anos a mais de faculdade, embora esses anos possam ter incluído uma pequena porção de treinamento social implícito sobre como se comportar.

Desde aquele dia, anos atrás, pergunto-me como a profissão técnica precisaria mudar para ser considerada profissional.

Assim, tive algumas ideias. Bloguei um pouco, li bastante, busquei aperfeiçoar minha vida profissional e ajudar alguns outros. Contudo, não sabia da existência de livro algum que expusesse um plano, que deixasse as coisas inteiramente explícitas.

Então um dia, do nada, recebi uma oferta para revisar o rascunho de um livro; este que você segura em suas mãos agora.

Este livro lhe dirá, passo a passo, exatamente como você deve se apresentar e interagir como um profissional. Não com um clichê banal, não com apelos a pedaços de papel, mas o que você pode fazer e como fazê-lo.

Em alguns casos, os exemplos são palavra por palavra.

Alguns desses exemplos têm respostas, contrarréplicas, esclarecimentos e até conselhos, sobre o que fazer se a outra pessoa tentar “simplesmente ignorá-lo”.

Ei, olha só, lá vem o Joe de novo, fora do palco desta vez.

Aqui estamos, de volta à Grande Empresa, comigo e com Joe, mais uma vez no grande site do projeto de conversão.

Só que, desta vez, imagine um pouco diferente.

Em vez de esquivar-se de seus compromissos, a equipe técnica de fato os cumpre. Em vez de esquivar-se de estimativas ou deixar alguma outra pessoa fazer o planejamento (e depois, reclamar dele), a equipe técnica de fato se organiza e torna os compromissos reais.

Agora, imagine que a equipe esteja realmente trabalhando junta. Quando os programadores são bloqueados pelas operações, eles apanham o telefone e o administrador de sistemas realmente começa a trabalhar.

Quando Joe vem apagar um incêndio para que o ticket 14321 funcione, ele não precisa fazer isso; poderá ver que o DBA está trabalhando diligentemente e não surfando na web. De forma parecida, as estimativas que ele obtém da equipe parecem consistentes, e ele não tem a sensação de que o projeto é prioritário em algum momento entre o almoço e a checagem de e-mail. Todos os truques e tentativas de manipular a agenda não vão de encontro a "Nós vamos tentar", mas sim, "Este é nosso comprometimento; se você quiser estabelecer suas próprias metas, vá em frente".

Após um tempo, suspeito que Joe começaria a pensar na equipe técnica como, bem, profissionais. E ele estaria certo.

Os passos para transformar nosso comportamento de técnicos para profissionais? Você os encontrará no restante deste livro.

Bem-vindo ao próximo passo em sua carreira; eu suspeito que você irá gostar.

— Matthew Heusser
Naturalista de Processo de Software

INTRODUÇÃO

Às 11h39min de 28 de janeiro de 1986, apenas 73.124 segundos após o almoço e à altitude de 48.000 pés, a nave espacial Challenger foi partida em pedacinhos por uma falha na turbina direita do foguete propulsor (SRB). Sete corajosos astronautas, incluindo a professora do Ensino Médio Christa McAuliffe, morreram. A expressão no rosto da mãe de McAuliffe, enquanto observava a morte de sua filha a nove mil milhas acima de sua cabeça, me assombra até hoje.

A Challenger se partiu porque gases quentes de escape, na turbina (SRB) danificada, vazaram entre os segmentos de seu casco, se espalhando pelo tanque de combustível externo. O fundo do tanque principal de hidrogênio líquido explodiu, inflamando o combustível e jogando o tanque para frente, chocando-o contra o tanque de oxigênio líquido que ficava na parte de cima. Ao mesmo tempo, a SRB se destacou do suporte traseiro e rodou em torno do dianteiro. O nariz da nave foi rompido pelo tanque de oxigênio líquido. Esses vetores de forças anormais fizeram com que a nave inteira, se movendo bem acima do Mach 1.5, rodasse contra a corrente de ar. Forças aerodinâmicas rapidamente a despedaçaram.

Entre os segmentos circulares da SRB havia dois anéis concêntricos de borracha sintética. Quando os anéis foram aparafusados, eles foram comprimidos, formando uma vedação onde os gases de exaustão não deveriam ter sido capazes de penetrar.

Mas no anoitecer anterior ao lançamento, a temperatura na plataforma de lançamento chegou a -8ºC, 23 graus abaixo da temperatura mínima específica para os anéis, e 33 graus mais baixos do que qualquer lançamento já feito. Como resultado, os anéis ficaram muito rígidos para bloquearem os gases quentes. Com a turbina em chamas houve um pulso de pressão, à medida que os gases quentes acumulavam-se rapidamente. Os segmentos do dínamo incharam do lado de fora e relaxaram a compressão dos anéis. A rigidez evitou que eles mantivessem a vedação, então parte dos gases vazou e vaporizou os anéis em um arco de 70 graus.

Os engenheiros da Morton Thiokol que desenharam a SRB sabiam que havia problemas com os anéis e eles já teriam sido reportados aos gerentes da Thiokol e da NASA sete anos antes. De fato, os anéis de lançamentos anteriores foram danificados de maneiras semelhantes, embora não o suficiente para causar uma catástrofe. O lançamento mais frio teve a experiência mais prejudicial. Os engenheiros tinham desenhado um reparo para o problema, mas a implementação havia sido adiada por um longo tempo.

Os engenheiros suspeitavam que os anéis enrijecessem quando ficava frio. Também sabiam que as temperaturas para o lançamento da Challenger eram mais baixas do que em qualquer outro lançamento feito anteriormente, e bem abaixo da linha vermelha. Ou seja, os engenheiros *sabiam* que o risco era bastante alto. Eles agiram em conformidade a esse conhecimento. Escreveram memorandos levantando bandeiras vermelhas gigantescas. Recomendaram fortemente que os gerentes da Thiokol e da NASA não fizessem o lançamento. Em uma reunião de última hora, ocorrida algumas horas antes do lançamento, os engenheiros apresentaram seus melhores dados. Eles se exaltaram, tentaram persuadir os gerentes e protestaram. Mas no final, foram ignorados.

Quando chegou a hora do lançamento, alguns dos engenheiros se recusaram a assistir a transmissão porque temiam uma explosão na plataforma de lançamento. Mas à medida que a Challenger começou a voar graciosamente pelo céu, começaram a relaxar. Momentos antes da destruição, enquanto observavam a nave passar pelo Mach 1, um deles disse que eles tinham "se esquivado de uma bala".

Apesar de todos os protestos, memorandos e pedidos dos engenheiros, os gerentes achavam que estavam certos e que os engenheiros estavam exagerando. Não confiaram nos dados e conclusões deles. Fizeram o lançamento porque estavam debaixo de uma pressão financeira e política imensa. E, no final, *esperavam* que tudo ficasse bem.

Esses gerentes não foram meramente tolos, eles foram criminosos. As vidas de sete bons homens e mulheres, e as esperanças de uma geração, olhando em direção às viagens espaciais, foram destruídas naquela manhã fria porque aqueles gerentes colocaram seus medos, esperanças e intuições acima das palavras de seus próprios especialistas. Eles tomaram uma decisão que não tinham o direito de tomar. Usurparam a autoridade das pessoas que realmente sabiam: os engenheiros.

Mas e quanto aos engenheiros? Certamente, eles fizeram o que tinham que fazer. Informaram seus gerentes e lutaram muito para fazer valer sua posição. Seguiram pelos canais apropriados e invocaram todos os protocolos certos. Fizeram o que podiam *dentro* do sistema – e, ainda assim, os gerentes os ignoraram. Então, pode parecer que esses engenheiros podem seguir sem qualquer culpa.

Mas, às vezes, eu me pergunto se algum desses engenheiros fica acordado à noite, assombrado pela imagem da mãe de Christa McAuliffe, e desejando que tivesse chamado Dan Rather*.

* Nota do tradutor: jornalista norte-americano que ficou famoso por conta da cobertura do assassinato de John Kennedy, em 1963.

SOBRE ESTE LIVRO

Este livro tem a ver com profissionalismo de software. Contém muitos conselhos pragmáticos em uma tentativa de responder perguntas como:

- O que é um profissional de software?
- Como um profissional se comporta?
- Como um profissional lida com conflitos, prazos apertados e gerentes pouco razoáveis?
- Quando e como um profissional deve dizer "não"?
- Como um profissional lida com a pressão?

Porém, escondido entre os conselhos mais pragmáticos deste livro, você encontrará uma atitude de luta para se libertar. É uma atitude de honestidade, honra, respeito próprio e orgulho. É uma disposição para aceitar a terrível responsabilidade de ser um artesão e um engenheiro. Essa responsabilidade inclui trabalhar bem e de forma limpa. Ela inclui a boa comunicação e a estimativa confiável. Inclui gerenciar seu tempo e encarar as difíceis decisões de risco-recompensa.

Mas essa responsabilidade inclui outra coisa – algo assustador. Como engenheiro, você tem um profundo conhecimento sobre seus sistemas e projetos que nenhum outro gerente pode ter. Com esse conhecimento, vem a responsabilidade de *agir*.

BIBLIOGRAFIA

(McConnell87): Malcolm McConnelle, *Challenger 'A Major Malfunction'*, Nova York, NY: Simon & Shuster, 1987

(Wiki-Challenger): "Space Shuttle Challenger disaster", http://en.wikipedia.org/wiki/Space_Shuttle_Challenger_disaster

Agradecimentos

Minha carreira tem sido uma série de projetos e colaborações. Embora eu tenha tido muitos sonhos e aspirações pessoais, pareço sempre encontrar alguém com quem partilhá-los. Nesse sentido, me sinto um pouco como os Sith, "Sempre existem dois".

A primeira colaboração que pude considerar profissional foi com John Marchese, aos 13 anos. Planejamos construir computadores juntos. Eu era o cérebro e ele os músculos. Mostrava onde soldar um fio e ele o soldava. Mostrava onde montar um transmissor e ele montava. Era bastante divertido e passávamos centenas de horas nisso. Na verdade, construímos alguns poucos objetos que tinham um aspecto impressionante, com transmissores, botões, luzes e até teletipos! Claro, nenhum deles fazia coisa alguma de fato, mas eram bastante impressionantes e trabalhávamos duro neles. Para John: Obrigado!

Quando eu era calouro no Ensino Médio, conheci Tim Conrad na aula de alemão. Tim era *esperto*. Nos unimos para criar um computador, ele era o cérebro e eu os músculos. Ele me ensinou eletrônica e deu minha primeira introdução ao PDP-8. Construímos de fato uma calculadora eletrônica binária de 18 bits que funcionava a partir de alguns componentes básicos. Ela podia somar, subtrair, multiplicar e dividir. Levou um ano de finais de semana e todos os feriados de primavera, verão e Natal. Trabalhamos incansavelmente nela. No final, ela funcionava muito bem. Para Tim: Obrigado!

Tim e eu aprendemos como programar computadores. Isso não era algo fácil de ser feito em 1968, mas demos um jeito. Pegamos livros sobre montagem do PDP-8, Fortran, Cobol, PL/1, entre outros. Devoramos todos. Escrevemos programas os quais não tínhamos esperança de executar, pois não tínhamos acesso a computadores. Mas os escrevemos da mesma forma, apenas pela paixão de fazê-lo.

Nosso colégio introduziu na grade um curso de ciência da computação quando estávamos no segundo ano. Eles conectaram um Teletipo ASR-33 a um modem discado de 110-baud. Tinham uma conta no sistema de partilha de tempo Univac 1108 do Instituto de Tecnologia de Illinois. Tim e eu imediatamente começamos a operar aquela máquina. Ninguém mais conseguia chegar perto dela.

O modem era conectado ao atender o telefone e discar o número. Quando você ouvia o sinal de resposta do modem, apertava o botão "orig" no Teletipo, o que fazia com que o modem de origem emitisse seu próprio sinal. Então, desligava o telefone e a conexão de dados estava estabelecida.

O telefone tinha uma trava na discagem. Somente professores tinham a chave. Mas isso não importava, pois descobrimos que era possível discar um telefone (qualquer um) ao digitar o número dele no interruptor do gancho. Eu era baterista, então tinha um bom timing e reflexo. Podia discar o modem com a trava no lugar em menos de dez segundos.

Tínhamos dois Teletipos no laboratório de computação. Um era a máquina online e o outro, uma máquina offline. Ambos eram usados por estudantes para escrever seus programas. Eles deveriam digitar seus programas nos Teletipos com a fita de papel do perfurador envolvida. Todos os toques no teclado eram perfurados na fita. Os estudantes escreviam seus programas em IITran, uma linguagem de interpretação notavelmente poderosa. Os estudantes deixavam as fitas de papel em uma cesta próxima aos Teletipos.

Depois da escola, Tim e eu discávamos o computador (teclando, claro), carregávamos as fitas no sistema do IITran, e então desligávamos. A 10 caracteres por segundo, esse não era um procedimento rápido. Mais ou menos uma hora depois, ligávamos de volta e obtínhamos as impressões, novamente a 10 caracteres por segundo. O Teletipo não separava as listas dos estudantes ao ejetar as páginas. Ele apenas imprimia uma após a outra e assim por diante; então, nós as separávamos usando tesouras, juntávamos o input com a lista, com um clipe, e os colocávamos na cesta.

Tim e eu éramos os mestres e deuses desse processo. Até mesmo os professores nos deixavam em paz quando estávamos naquela sala. Fazíamos o trabalho deles e eles sabiam disso. Eles jamais pediram que o fizéssemos. Jamais disseram que poderíamos fazê-lo. Jamais nos deram a chave do telefone. Apenas entrávamos e eles saíam – e eles nos davam grande liberdade. Aos meus professores de Matemática, Sr. McDermit, Sr. Fogel e Sr. Robien: Obrigado!

Então, depois que todo o trabalho de casa estava feito, nós brincávamos. Escrevíamos programa após programa para fazer qualquer tipo de coisa louca e esquisita; escrevíamos programas que colocassem círculos e parábolas em gráficos de ASCII no Teletipo; escrevíamos programas de circuitos aleatórios e geradores de palavras aleatórias. Calculamos 50 fatoriais até o último dígito. Passamos horas e horas inventando programas para serem escritos e então colocados em funcionamento.

Dois anos depois, Tim, nosso parceiro Richard Lloyd e eu fomos contratados como programadores pela ASC Tabulating, em Lake Bluff, Illinois. Tim e eu tínhamos 18 anos na época. Decidimos que faculdade era perda de tempo e que tínhamos que começar nossas carreiras imediatamente. Foi aqui que encontramos Bill Hohri, Frank Ryder, Big Jim Carlin e John Miller. Eles deram a alguns jovens a oportunidade de aprender o que a programação profissional era na verdade. A experiência não foi inteiramente positiva, nem negativa. Foi, sem dúvida, educacional. Para todos eles, e para Richard, que comandou e dirigiu a maior parte do processo: Obrigado!

Depois de desistir e de fazer besteira aos 20 anos, fiz um bico como cortador de grama, trabalhando para meu cunhado. Era tão péssimo nisso, que ele teve que me despedir. Obrigado, Wes!

Aproximadamente um ano depois, acabei trabalhando na Outboard Marine Corporation. Na ocasião, estava casado e tinha um bebê a caminho. Eles também me despediram. Obrigado, John, Ralph e Tom!

Então, fui trabalhar na Teradyne onde encontrei Russ Ashdown, Ken Finder, Bob Copithorne, Chuck Studee e CK Srithran (agora Kris Iyer). Ken era meu chefe. Chuck e CK eram meus colegas. Aprendi muito com todos eles. Obrigado, pessoal!

E lá estava Mike Carew. Na Teradyne, nos tornamos uma dupla dinâmica. Escrevemos diversos sistemas juntos. Se você quisesse que algo fosse feito e com velocidade, chamava Bob e Mike. Nos divertimos bastante juntos. Obrigado, Mike!

Jerry Fitzpatrick também trabalhou na Teradyne. Nos conhecemos enquanto jogávamos Dungeons & Dragons juntos, mas rapidamente começamos a colaborar. Escrevemos software no Commodore 64 para dar suporte aos usuários de D&D. Também começamos um novo projeto na Teradyne chamado "A Secretária Eletrônica". Trabalhamos juntos por vários anos e ele tornou-se, e permanece, um grande amigo. Obrigado, Jerry!

Passei um ano na Inglaterra enquanto trabalhava para a Teradyne. Lá me juntei a Mike Kergozou. Juntos, tramamos sobre todo tipo de coisas, embora a maior parte dessas tramoias tivesse a ver com bicicletas e pubs. Mas ele era um programador dedicado e bastante focado em qualidade e disciplina (embora ele talvez discorde). Obrigado, Mike!

Ao voltar da Inglaterra em 1987, comecei a fazer planos com Jim Newkirk. Ambos deixamos a Teradyne (com meses de diferença) e nos juntamos a uma empresa iniciante chamada Clear Communications. Ficamos muitos anos juntos, lutando para conseguir os milhões que nunca vieram. Mas continuamos com nossos planos. Obrigado, Jim!

No final, fundamos juntos a Object Mentor. Jim é a pessoa mais direta, disciplinada e objetiva com quem já tive o privilégio de trabalhar. Ele me ensinou tantas coisas que não posso sequer enumerá-las. Em vez disso, dediquei este livro a ele.

Há tantos outros com quem trabalhei, tantos com quem colaborei, tantos que tiveram impacto em minha vida profissional: Lowell Lindstrom, Dave Thomas, Michael Feathers, Bob Koss, Brett Schuchert, Dean Wampler, Pascal Roy, Jeff Langr, James Grenning, Brian Button, Alan Francis, Mike Hill, Eric Meade, Ron Jeffries, Kent Beck, Martin Fowler, Grady Booch, e uma lista interminável de outras pessoas. Obrigado a todos.

Claro, a maior colaboradora de minha vida tem sido minha amada esposa, Ann Marie. Nos casamos quando eu tinha 20 anos, três dias após ela completar 18 anos. Por 38 anos ela tem sido minha companheira firme, meu leme e vela, meu amor e minha vida. Estou ansioso por outras quatro décadas ao lado dela.

E agora, meus colaboradores e parceiros de planejamento são meus filhos. Trabalho junto com minha filha mais velha, Angela, minha adorada protetora e intrépida assistente. Ela me mantém nos trilhos e nunca permite que eu esqueça um compromisso. Faço planos de negócios com meu filho Micah, o fundador da 8thlight.com. Sua cabeça para negócios é de longe melhor do que a minha jamais foi. Nossa última empreitada, a cleancoders.com, é muito empolgante!

Meu filho mais novo, Justin, acabou de começar a trabalhar com Micah na 8th Light. Minha filha mais jovem, Gina, é engenheira química e trabalha na Honeywell. Com esses dois, os projetos mais sérios acabaram de começar.

Ninguém em sua vida lhe ensinará mais do que seus filhos. Obrigado, crianças!

Sobre o Autor

Robert C. Martin ("Tio Bob") é programador desde 1970. Ele é fundador e presidente da Object Mentor, Inc., uma empresa internacional de desenvolvedores de software e gerentes altamente experientes que se especializaram em ajudar empresas a executarem seus projetos. A Object Mentor oferece consultoria para a melhoria de processos, consultoria de design de software, treinamento, e serviços de desenvolvimento de habilidade para grandes corporações em todo o mundo.

Martin publicou dezenas de artigos em diversas revistas especializadas e é palestrante regular em conferências internacionais e feiras.

Ele é autor e editor de diversos livros, incluindo:

- *Código Limpo*, da editora Alta Books
- *Designing Object Oriented C++ Applications Using the Booch Method*
- *Patterns Languages of Program Design 3*

- *More C++ Gems*
- Extreme Programming in Practice
- *Princípios, Padrões e Práticas Ágeis em C#*
- *Para Entender a Linguística*

Líder na indústria do desenvolvimento de software, Martin foi editor chefe do C++ Report durante três anos e o primeiro presidente da Agile Alliance.

Robert também é fundador da Uncle Bob Consulting, LLC, e cofundador, juntamente com seu filho, Micah Martin, do The Clean Coders LLC.

Sobre a Capa

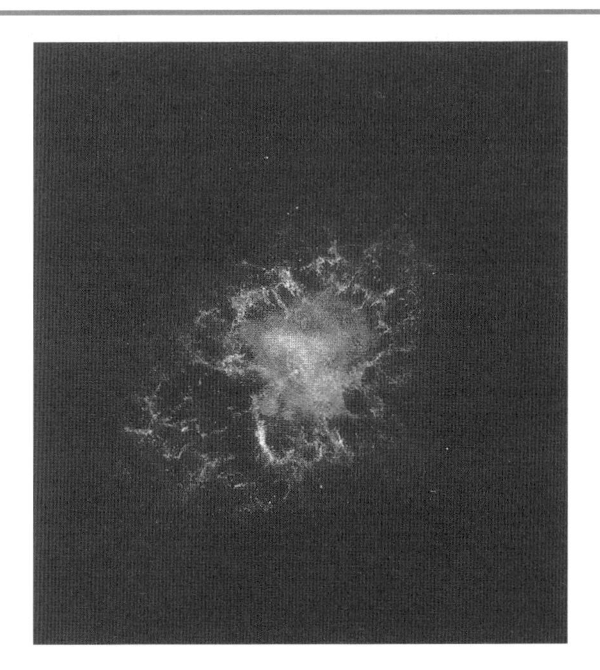

A maravilhosa imagem na capa, reminiscência do olho de Sauron, é M1, a Nebulosa do Caranguejo. M1 fica em Taurus, por volta de um grau à direita de Zeta Tauri, a estrela na ponta do chifre esquerdo do touro. A Nebulosa do Caranguejo é a sobra de uma supernova que soprou suas rajadas nos céus na data auspiciosa de 4 de julho, em 1054 DC. Distante 6.500 anos-luz de nós, a explosão pareceu para os chineses ser uma nova estrela, aproximadamente tão brilhante quanto Júpiter.

De fato, ela era visível *durante o dia*! Ao longo dos seis meses seguintes, ela lentamente foi se apagando da visão a olho nu.

A imagem da capa é um composto de raios-x e luz visível. A imagem visível foi tirada pelo telescópio Hubble e constitui o envoltório externo. O objeto interno, que se parece com um azul-alvo foi fotografado pelo telescópio de raios-x Chandra.

Essa imagem visível mostra uma rápida nuvem de pó e gás se expandindo, enlaçada a elementos pesados, deixados pela explosão da supernova. Essa nuvem tem agora 11 anos-luz de diâmetro, pesa 4,5 massas solares e está se expandindo na taxa furiosa de 1.500 quilômetros por segundo. A energia cinética daquela velha explosão é impressionante, para dizer o mínimo.

Bem no centro do alvo há um ponto azul brilhante. É onde fica o *pulsar*. Foi a formação dele que fez com que a estrela explodisse em primeiro lugar. Aproximadamente, uma massa solar de material no centro da estrela condenada implodiu em uma esfera de nêutrons, que tinha por volta de 30 quilômetros de diâmetro. A energia cinética daquela implosão, somada à incrível barragem de neutrinos, criados quando todos aqueles nêutrons se formaram, rasgou a estrela e ela se obliterou.

O pulsar está girando por volta de 30 vezes por segundo, lampejando na medida em que gira. Podemos vê-lo piscar em nossos telescópios. Esses pulsos de luz são o motivo pelo qual ele é chamado de pulsar, que é a abreviatura para Estrela Pulsante.

Introdução Pré-Requisito

(não pule, você precisará dela)

Presumo que você tenha escolhido este livro por ser um programador e está intrigado com a noção de profissionalismo. E deve estar. Profissionalismo é algo que nossa profissão precisa terrivelmente.

Eu também sou programador. Tenho sido por 42 anos[1] e, durante esse período – *deixe-me dizer-lhe* –, já vi de tudo. Fui despedido. Fui laureado. Fui líder de equipe, gerente, funcionário comum e até CEO. Trabalhei com programadores brilhantes e com lesmas[2]. Trabalhei com sistemas de software/hardware de alta tecnologia e

1. Não entre em pânico.
2. Termo técnico de origem desconhecida.

com sistemas corporativos burocráticos. Programei no COBOL, FORTRAN, BAL, PDP-8, PDP-11, C, C++, Java, Ruby, Smalltalk, e uma grande quantidade de outras linguagens e sistemas. Trabalhei com ladrões de contracheque não confiáveis e com profissionais experientes. Esta última classificação é o tópico deste livro.

Nas páginas a seguir tentarei definir o que significa ser um programador profissional. Descreverei as atitudes, disciplinas e ações que considero essenciais a um profissional.

Como sei quais são essas atitudes, disciplinas e ações? Por que precisei aprendê-las da forma mais difícil. Veja, quando consegui meu primeiro trabalho como programador, profissional seria a última palavra que você usaria para me descrever.

O ano era 1969. Eu tinha 17 anos. Meu pai tinha atormentado uma firma local chamada ASC para me contratar como programador temporário meio período (Sim, meu pai fazia coisas assim. Certa vez o vi entrar na frente de um carro em alta velocidade, e com a mão erguida, ele ordenou 'Pare'. O carro parou. Ninguém dizia "não" para meu pai). A empresa me colocou para trabalhar na sala em que todos os manuais de computadores da IBM eram guardados. Eles fizeram com que eu colocasse anos e anos de atualizações nos manuais. Foi ali que eu vi pela primeira vez a frase: "Esta página foi deixada intencionalmente em branco".

Após alguns dias atualizando manuais, meu supervisor pediu que eu escrevesse um simples programa Easycoder[3]. Fiquei extasiado. Nunca havia criado um programa para um computador de verdade antes. Entretanto, eu havia devorado os livros sobre Autocoder e tinha uma vaga noção de como começar.

O programa era simplesmente ler gravações de uma fita e substituir as IDs dessas gravações por novas. As novas IDs começavam em 1 e eram incrementadas em 1 a cada nova gravação. As gravações com as novas IDs tinham que ser escritas em uma nova fita.

Meu supervisor me mostrou uma prateleira que tinha muitas pilhas de cartões perfurados vermelhos e azuis. Imagine que você comprou 50 baralhos de cartas, 25 vermelhos e 25 azuis. Então, você empilha esses baralhos uns sobre os outros. Era assim que essas pilhas de cartões se pareciam. Elas eram agrupadas em vermelho e azul, e cada cor tinha em torno de 200 cartões. Cada cor continha o

3. Easycoder era o montador para o computador Honeywell H200, que era similar ao Autocoder para o IBM 1401.

código-fonte para a biblioteca de sub-rotinas que os programadores normalmente usavam. Os programadores simplesmente apanhavam o baralho de cima da pilha, certificando-se de que não pegassem nada além de cartões azuis e vermelhos, e então os colocavam no fim de seu baralho de programação.

Escrevi meu programa em alguns formulários de código. Formulários de código eram folhas de papel grandes e retangulares, divididas em 25 linhas e 80 colunas. Cada linha representava um cartão. Você escrevia seu programa no formulário de código usando letras maiúsculas e lápis nº 2. Nas últimas 6 colunas de cada linha, escrevi a sequência numérica com aquele lápis. Como de costume, incrementei a sequência numérica em 10, de forma que pudesse inserir os cartões posteriormente.

Os formulários de código iam para as perfuradoras principais. Essa empresa tinha um grupo de mulheres que pegavam os formulários de códigos de dentro de uma enorme cesta e então, "digitavam" nas máquinas perfuradoras. Essas máquinas se pareciam bastante com máquinas de escrever, exceto que os caracteres eram perfurados em cartões ao invés de impressos em papel.

No dia seguinte, as perfuradoras enviaram meu programa de volta por meio de correio interno. Meu pequeno baralho de cartões perfurados veio embrulhado pelos meus formulários de código e um elástico. Eu procurei por erros nos cartões. Não havia nenhum. Então, coloquei o baralho da biblioteca de sub-rotina no final do meu baralho de programa e levei tudo para os operadores de computadores no andar de cima.

Os computadores ficavam atrás de portas trancadas em uma sala ambientalmente controlada com um piso elevado (para todo o cabeamento). Eu bati na porta e um operador pegou meu baralho austeramente e o colocou em outra cesta dentro da sala de computadores. Quando eles chegaram até ela, colocaram meu baralho para rodar.

No dia seguinte, peguei meu baralho de volta. Ele estava embrulhado em uma lista de resultados e atado com um elástico (usávamos muitos elásticos naqueles dias!).

Eu abri a lista e vi que minha compilação tinha falhado. As mensagens de erro na lista eram muito difíceis de entender, então as levei ao meu supervisor. Ele deu uma olhada, murmurou algo, fez algumas anotações rápidas na lista, apanhou meu baralho e pediu que o seguisse.

Levou-me até a sala de perfuração e sentou-se a uma máquina que estava vaga. Corrigiu um por um os cartões que tinham erro, e adicionou mais um ou dois cartões. Explicou rapidamente o que estava fazendo, mas tudo passou como um relâmpago.

Ele levou o novo baralho até a sala de computadores e bateu na porta. Disse algumas palavras mágicas a um dos operadores e então entrou na sala. Fez um sinal para que o seguisse. O operador preparou os drives para a fita e carregou o baralho, enquanto nós observávamos. As fitas rodaram, a impressora fez barulho e então estava terminado. O programa tinha funcionado.

No dia seguinte, meu supervisor agradeceu-me por minha ajuda e me despediu. Aparentemente, a ASC sentiu que não tinha tempo de nutrir um jovem de 17 anos.

Mas meu elo com a empresa não havia terminado. Alguns meses depois, fui contratado em tempo integral na ASC para operar impressoras offline. Essas máquinas imprimiam *junk mail* (lixo eletrônico) a partir de imagens impressas que haviam sido armazenadas em fitas. Meu trabalho era carregar as impressoras com papel, carregar as fitas dentro dos drives, resolver o atolamento de papéis e, se tudo corresse bem, apenas observar as máquinas funcionarem.

O ano era 1970. Faculdade não era opção para mim, nem atiçava qualquer sedução em particular. A Guerra do Vietnã ainda estava em andamento e os campus eram caóticos. Continuei a devorar livros sobre COBOL, Fortran, PL/1, PDP-8 e IBM 360 Assembler. Minha intenção era a de contornar os estudos e seguir direto, e o mais rápido possível, para a obtenção de um trabalho como programador.

Doze meses depois, atingi minha meta. Fui promovido a programador em tempo integral na ASC. Eu e dois bons amigos, Richard e Tim, também com 19 anos, trabalhamos com uma equipe de três programadores, escrevendo um sistema de contabilidade em tempo real para a Teamster[4]. A máquina era um Varian 620i. Era um simples minicomputador, similar em arquitetura ao PDP-8, exceto que tinha dois registros e um vocábulo de 16 bits. A linguagem era Assembler.

Escrevemos cada linha do código naquele sistema. E quero dizer *cada* linha. Escrevemos o sistema de operação, as cabeças de interruptor, os drivers IO, o arquivo de sistemas para os discos, o envolvimento do swapper e, até mesmo, o

4. Nota do tradutor: grupo de sindicatos de trabalhadores poderosíssimo nos EUA.

linkador relocável. Escrevemos tudo em 8 meses, trabalhando de 70 a 80 horas por semana para cumprir o prazo infernal. Meu salário era de U$ 7.200 por ano.

Entregamos aquele sistema e depois pedimos demissão.

Saímos repentinamente e com malícia. Veja, após todo aquele trabalho, e depois de ter entregado um sistema bem-sucedido, a empresa nos deu um aumento de 2%. Sentimos que estávamos sendo roubados e abusados. Vários programadores tinham trabalhos em outros lugares e simplesmente se demitiram.

Eu, entretanto, assumi uma abordagem diferente e bastante infeliz. Junto com um colega, invadimos o escritório do chefe e pedimos demissão juntos fazendo bastante barulho. Isso foi emocionalmente muito satisfatório – por um dia.

No dia seguinte, fui atingido pelo fato de estar desempregado. Tinha 19 anos, sem trabalho, sem graduação. Fiz entrevistas para alguns cargos de programador, porém sem sucesso. Então trabalhei na oficina de conserto de cortadores de grama de meu cunhado durante quatro meses. Infelizmente, eu era um péssimo reparador. No fim, ele teve que me dispensar. Caí em depressão.

Ficava toda noite acordado até às 3 da madrugada, comendo pizza e assistindo antigos filmes de terror na velha televisão preto e branco dos meus pais. Somente alguns dos fantasmas eram personagens dos filmes. Ficava na cama até à 1 da tarde porque não queria encarar meus dias melancólicos. Fiz um curso de cálculo em uma faculdade local e fui reprovado. Estava arrasado.

Minha mãe me chamou de lado e me disse que minha vida estava uma bagunça, e que eu tinha sido um idiota de pedir demissão sem ter um novo emprego, e por tê-lo feito de forma tão emocional e junto a um colega. Ela me disse que jamais se deve sair sem ter algo em vista e, que, devemos sempre agir com calma, tranquilamente e sozinho. Disse também, que eu deveria telefonar para meu antigo chefe e implorar pelo meu trabalho de volta. Ela disse, "Você precisa comer um pouco da torta da humildade".

Jovens de 19 anos não são famosos por seu apetite por tortas de humildade, e eu não era exceção. Mas as circunstâncias haviam cobrado seu pedágio sobre meu orgulho. No final, telefonei para meu chefe e dei uma grande bocada na torta da humildade. E funcionou. Ele ficou feliz em me recontratar por U$ 6.800 por ano, e eu fiquei feliz em aceitar.

Fiquei mais dezoito meses trabalhando lá, observando minhas maneiras e tentando ser o funcionário mais valioso que podia. Fui recompensado com promoções e aumentos, e um contracheque regular. A vida era boa. Quando saí da empresa foi em termos amigáveis e com uma oferta para um emprego melhor debaixo do braço.

Você pode pensar que eu havia aprendido a lição; que agora eu era um profissional. Longe disso. Aquela foi apenas a primeira de muitas lições que precisei tomar. Nos anos que se seguiram, eu seria despedido de um emprego por perder negligentemente datas importantes, e quase despedido de outro por deixar vazar inadvertidamente informação confidencial para um cliente. Eu assumiria a liderança de um projeto condenado e o levaria até o fundo do poço, sem pedir ajuda a ninguém quando sabia que precisava. Defenderia agressivamente minhas decisões técnicas, mesmo que elas esvoaçassem diante das necessidades dos clientes. Contrataria uma pessoa completamente desqualificada, sobrecarregando meu empregador com uma enorme responsabilidade para se lidar. E, pior de tudo, faria com que outras duas pessoas fossem despedidas por conta de minha inabilidade em liderar.

1 PROFISSIONALISMO

"Ria, Curtin, velho garoto. Foi uma grande peça pregada em nós pelo Senhor, ou pelo destino, ou natureza, o que você preferir. Mas quem quer ou o que quer que a tenha pregado, certamente tinha senso de humor! Rá!".

- *Howard*, O Tesouro de Sierra Madre

Então você quer ser um profissional de desenvolvimento de software, certo? Quer erguer a cabeça e declarar para o mundo: "Eu sou um *profissional*!". Quer que as pessoas olhem para você com respeito e o tratem com consideração. Quer que as mães apontem para você e digam a seus filhos para eles serem como você. Você quer isso tudo. Certo?

Cuidado com o Que Você Pede

Profissionalismo é um termo carregado. Sem dúvida, é um distintivo de honra e orgulho, mas também é um marcador de incumbência e responsabilidade. Os dois andam lado a lado, claro. Você não pode ter honra e orgulho de algo pelo qual não pode ser responsável.

É bem mais fácil não ser profissional. Não profissionais não podem ser responsabilizados pelos trabalhos que fazem – eles deixam isso para seus empregadores. Se um deles comete um erro, o empregador limpa a bagunça. Mas quando um profissional comete um erro, *ele* limpa a bagunça.

O que aconteceria se você permitisse que um defeito passasse por um módulo e custasse à sua empresa R$ 10.000? O não profissional daria de ombros, diria que "essas coisas acontecem" e começaria a escrever o módulo seguinte. O profissional faria um cheque de R$ 10.000 para a empresa[1]!

Sim, a sensação é um pouco diferente quando é seu próprio dinheiro, não é? Mas essa sensação é a mesma que um profissional tem o tempo todo. Na verdade, isso é a essência do profissionalismo. Porque veja, profissionalismo tem tudo a ver com assumir responsabilidades.

Assumindo Responsabilidade

Você leu a introdução, certo? Se não, volte e leia; ela estabelece o contexto para tudo o que se segue neste livro.

Eu aprendi a assumir a responsabilidade ao sofrer as consequências por não fazê-lo.

1. A esperança é que ele tenha uma boa política de Erros e Omissões!

Em 1979, eu trabalhava para uma empresa chamada Teradyne. Era o "engenheiro responsável" pelo software que controlava o sistema base do mini e do microcomputador, que media a qualidade das linhas telefônicas. O minicomputador central era conectado via 300-baud ou conexão dial-up, usando linhas telefônicas para dezenas de microcomputadores satélites que controlavam o hardware de medição. O código era todo escrito em Assembler.

Nossos clientes eram os gerentes de serviços de grandes companhias telefônicas. Cada qual era responsável por 100.000 linhas telefônicas ou mais. Meu sistema ajudava esses gerentes de área a encontrarem e repararem defeitos e problemas nas linhas antes que os clientes percebessem. Isso reduzia a taxa de reclamação que as comissões de utilidade pública mediam e costumava regular as taxas que as companhias telefônicas podiam cobrar. Ou seja, esses sistemas eram incrivelmente importantes.

Toda noite, os sistemas passavam por uma "rotina noturna", na qual o minicomputador central dizia a cada um dos microcomputadores satélites para testar todas as linhas telefônicas sob seu controle. Toda manhã, o computador central puxava a lista de linhas com defeito, juntamente com as características da falha. Os gerentes de serviço da área usavam esse relatório para agendar reparadores a fim de consertar as falhas, antes que os clientes reclamassem.

Em uma ocasião eu enviei um novo lançamento para dezenas de clientes. "Enviar" é exatamente a palavra certa. Escrevi os softwares em fitas e as enviei aos clientes. Eles carregaram as fitas e então reiniciaram os sistemas.

O novo lançamento consertou defeitos menores e adicionou novos recursos que os clientes estavam exigindo. Havíamos lhes dito que proveríamos aquele novo recurso dentro de um determinado prazo. Eu passei a noite inteira trabalhando nas fitas para que elas chegassem no prazo prometido.

Dois dias depois, recebi uma chamada de nosso gerente de serviço de campo, Tom. Ele me disse que vários clientes reclamaram que a "rotina noturna" não se completava e, que, eles não receberam os relatórios. Meu coração disparou, pois a fim de enviar os softwares a tempo, havia negligenciado a rotina de testes. Eu havia testado a maior parte das outras funcionalidades do sistema, mas testar a rotina levava horas e eu precisava despachar o software. Nenhuma das correções de bugs estava no código da rotina, então me senti seguro.

Perder um relatório noturno era algo muito sério. Significava que o técnico que faria os reparos teria menos a fazer naquela data, mas teria trabalho em excesso depois. Significava que os clientes poderiam perceber um defeito e reclamar. Perder os dados de uma noite é o suficiente para fazer com que um gerente de serviços de área chamasse Tom e lhe desse uma bronca.

Liguei o sistema de nosso laboratório, carreguei o novo software e comecei a rotina. Levou várias horas, mas então ele abortou. A rotina tinha falhado. Se eu tivesse rodado esse teste antes do envio, as áreas de serviço não teriam perdido dados e seus gerentes não estariam tostando Tom naquele momento.

Telefonei para Tom para dizer-lhe que eu podia duplicar o problema. Ele me disse que outros clientes telefonaram com a mesma queixa. Então ele me perguntou quando eu poderia consertar o problema. Eu disse que não sabia, mas que estava trabalhando naquilo. Enquanto isso, disse que os clientes deveriam retornar ao antigo software. Ele ficou bravo comigo, afirmando que isso era um golpe duplo para os clientes, já que eles perderam uma noite inteira de dados e não poderiam utilizar o novo recurso conforme prometido.

Foi difícil de encontrar o defeito e testar levava várias horas. O primeiro reparo não funcionou. Nem o segundo. Foram necessárias várias tentativas e, portanto, vários dias, para perceber o que estava errado. O tempo todo, Tom ficava me telefonando com o intervalo de algumas horas para perguntar se eu havia consertado o problema. Ele também certificou-se de que eu estivesse sabendo da dor de cabeça que os gerentes de serviços estavam lhe dando, e o tanto que era embaraçoso para ele dizer que deveriam colocar as antigas fitas de volta.

No final, encontrei o defeito, enviei as novas fitas e tudo voltou ao normal. Tom, que não era meu chefe, se acalmou e deixou todo o episódio para trás. Meu chefe me procurou depois que tudo estava terminado e disse: "Aposto que você não vai fazer isso de novo". Eu concordei.

Ao refletir, percebi que enviar as fitas sem testá-las tinha sido uma irresponsabilidade. A razão pela qual negligenciei o teste era para poder dizer que o envio fora feito no prazo. Tinha a ver comigo salvando minha pele. Não estava preocupado com o cliente, nem meu empregador. Estava concentrado somente em minha própria reputação. Deveria ter assumido a responsabilidade mais cedo e dito a Tom que os testes ainda não estavam completos e que não estava preparado para fazer o envio a tempo. Isso teria sido duro e Tom teria ficado aborrecido. Mas nenhum cliente teria perdido dados e nenhum gerente de serviços teria telefonado.

Primeiro, Não Cause Danos

Então, como assumimos responsabilidade? Existem alguns princípios. Recorrer ao juramento de Hipócrates pode parecer arrogante, mas que outra fonte existe de melhor? E, de fato, não faz sentido que a primeira responsabilidade e meta de um aspirante a profissional seja usar seus poderes para o bem?

Que mal um criador de software pode fazer? Do ponto de vista puramente do software, ele pode danificar ambos, a função e a estrutura do recurso. Exploraremos como evitar isso posteriormente.

Não Cause Danos ao Funcionamento

Claramente, queremos que nosso software funcione. De fato, a maioria de nós é programador hoje porque conseguimos fazer algo funcionar certa vez e queremos aquele sentimento novamente. Mas não somos os únicos que desejam ver o software funcionando. Nossos clientes e empregadores também querem. Na verdade, eles nos pagam para criar um software que funcione da forma como querem.

Danificamos o funcionamento de nosso software quando criamos bugs. Portanto, para sermos profissionais, não podemos criar bugs.

"Mas, espere aí!", eu o escutei dizer. "Isso não é razoável. Software é algo muito complexo para ser criado sem bugs".

Claro, você está certo. Software é *muito* complexo para ser criado sem bugs. Mas infelizmente, isso não o exime de sua responsabilidade. O corpo humano é muito complexo para ser entendido plenamente, mas os médicos ainda fazem um juramento para não danificá-lo. Se *eles* não se eximem da responsabilidade, por que nós deveríamos?

"Você está dizendo que temos que ser perfeitos?", escutei você contestar.

Não, estou dizendo que você precisa ser responsável pelas imperfeições. O fato de que bugs certamente ocorrerão em seu código não significa que você não é responsável por eles. O fato de que a tarefa de escrever um software perfeito é praticamente impossível não implica que você não seja responsável pela imperfeição.

Cabe ao profissional ser responsabilizado por seus erros, mesmo sendo esses virtualmente certos de ocorrer. Então, meu aspirante a profissional, a primeira coisa que você precisa praticar é pedir desculpas. Desculpas são necessárias, mas insuficientes. Você não pode simplesmente continuar cometendo os mesmos erros repetidamente. À medida que amadurece em sua profissão, sua taxa de erro deve diminuir rapidamente em direção à assíntota de zero. Ela jamais chegará a zero, mas é sua responsabilidade chegar ao mais próximo possível.

GQ Não Deve Encontrar Nada

Portanto, quando você lança seu software deve esperar que a GQ* não encontre nenhum problema. É extremamente antiprofissional enviar um código propositadamente que você sabe ser defeituoso para a GQ. E qual código você sabe que é defeituoso? Qualquer um que você não tenha *certeza*!

Algumas pessoas usam a GQ como apanhadores de bugs. Elas lhes enviam códigos que não checaram completamente. Elas dependem da GQ para encontrar os bugs e relatá-los aos criadores. Na verdade, algumas empresas recompensam a GQ com base no número de bugs que encontram. Quanto mais defeitos, maior a recompensa.

Não importa que esse seja um comportamento desesperadamente caro que prejudica a empresa e o software. Não importa que esse comportamento arruíne cronogramas e minimize a confiança da empresa na equipe de desenvolvimento. Não importa que esse comportamento seja preguiçoso e irresponsável. Enviar códigos que você não sabe se funciona para a GQ é falta de profissionalismo. Isso viola a regra "não cause danos".

A GQ encontrará os bugs? Provavelmente, então esteja pronto para se desculpar – perceba por que esses defeitos conseguiram escapar à sua percepção e faça algo para evitar que ocorram novamente.

* Nota do tradutor: abreviatura de Quality Assurance – em português Garantia de Qualidade.

Sempre que a GQ, ou pior, um *usuário* encontrar um problema, você deve ficar surpreso, desapontado e disposto a evitar que isso aconteça de novo.

Você Precisa *Saber* que Funciona

Como você pode *saber* se o código funciona? Fácil. Teste-o. Teste novamente. Teste mais uma vez. Teste sete vezes até o domingo!

Talvez você tema que testar o código em demasia tomará muito tempo, afinal, você tem cronogramas e prazos para cumprir. Se passar todo o tempo testando, não vai conseguir escrever mais coisa alguma. Boa observação! Então, automatize seus testes. Escreva testes de unidades que possa executar em um determinado momento e rode-os com o máximo de frequência possível.

Quanto do código deve ser testado com essas unidades automatizadas? Eu realmente preciso responder a essa pergunta? Tudo! Absolutamente tudo!

Estou sugerindo 100% de cobertura de testes? Não estou *sugerindo* isso. Estou *exigindo*. Toda linha de código que você escreve precisa ser testada. Ponto final.

Isso não é pouco realista? Claro que não. Você só escreve códigos porque espera que eles sejam executados. Se espera que sejam executados, precisa *saber* se eles funcionam. A única maneira de saber é testando.

Eu sou o principal contribuidor e comprometido com um projeto de código aberto chamado FITNESSE. Da forma como está escrito há 60ksloc no FITNESSE. Desses 60, 26 estão escritos em mais de 2.000 testes de unidades. Emma relata que a cobertura desses 2.000 testes é ~90%.

Por que minha cobertura de códigos não é mais alta? Porque Emma não pode ver todas as linhas de código que são executadas! Acredito que a cobertura seja muito mais alta que essa. A cobertura é de 100%? Não, 100% é uma assíntota.

Mas alguns códigos não são difíceis de ser testados? Sim, mas apenas porque esses códigos foram *desenhados* assim. A solução para isso é desenhar seu código de forma que ele seja *fácil* de ser testado. A melhor maneira de se fazer isso é escrever seus testes primeiro, antes de escrever os testes que passarão por eles.

Essa é uma disciplina conhecida como Desenvolvimento Guiado por Teste**, sobre a qual falaremos mais em um capítulo posterior.

Teste de GQ Automatizado

O procedimento completo de GQ para a FITNESSE é a execução dos testes de unidade e sua aceitação. Se eles derem certo, eu envio. Isso significa que meu procedimento de GQ leva aproximadamente três minutos e posso executá-lo conforme meu critério.

Agora, é verdade que ninguém morre se houver um bug na FITNESSE. Ninguém perde milhões de dólares também. Por outro lado, a FITNESSE tem milhares de usuários e uma lista *muito* pequena de bugs.

É certo que alguns sistemas são tão críticos que testes automatizados e curtos são insuficientes para determinar a prontidão para a entrega. Por outro lado, você, enquanto desenvolvedor, precisa de um mecanismo relativamente rápido e confiável para saber se o código que escreveu funciona e se ele não interfere no resto do sistema. Então, no mínimo, seus testes automatizados devem lhe dizer que é *muito provável* que o sistema passe na GQ.

NÃO CAUSE DANOS À ESTRUTURA

O verdadeiro profissional sabe que privilegiar a função às custas da estrutura é um ato tolo. A estrutura de seu código é o que permite sua flexibilidade. Se você a comprometer, comprometerá também o futuro.

O pressuposto fundamental que pauta todos os projetos de software é que o software seja fácil de ser alterado. Se você violar esse pressuposto ao criar estruturas inflexíveis, então minará o modelo econômico no qual toda a indústria se baseia.

Em tempo: *você tem que ser capaz de efetuar mudanças sem custos exorbitantes.*

Infelizmente, muitos projetos ficam atolados devido a uma estrutura pobre. Tarefas que costumavam levar dias começam a levar semanas, e então, meses. A gerência, desesperada para recuperar o *momentum* perdido, contrata mais desenvolvedores para acelerar as coisas. Mas esses simplesmente se somam ao pântano, aprofundando o dano estrutural e aumentando os impedimentos.

** Nota do Tradutor: TDD – no original, Test Driven Development.

Muito foi escrito sobre os princípios e padrões do design de software, que dá suporte às estruturas para que sejam flexíveis e sustentáveis[2]. Desenvolvedores de software profissionais guardam essas coisas na memória e lutam para adequar seu software a elas. Mas há um truque para isso que poucos desenvolvedores seguem: *se você deseja que seu software seja flexível, precisa flexioná-lo.*

A única maneira de provar que seu software é fácil de ser mudado é fazendo mudanças. E quando você descobrir que essas mudanças não são tão simples quanto pensava, refine o design de forma que a próxima seja.

Quando fazer essas mudanças fáceis? O *tempo todo*! Cada vez que olha para um módulo você faz pequenas e leves mudanças para melhorar a estrutura. Sempre que ler o código, ajuste a estrutura.

Essa filosofia é chamada, às vezes, de *refatoração impiedosa.* Eu chamo de "a regra do escoteiro": sempre verifique um módulo de forma mais limpa do que da última vez. Faça algumas ações aleatórias sutis em um código, sempre que o ver.

Isso é completamente oposto à forma como a maioria das pessoas pensa sobre software. Elas acham que fazer uma série contínua de mudanças em um software em funcionamento é *perigoso*. Não! O que é perigoso é permitir que o software permaneça estático. Se você não o tornar flexível, então quando *precisar* fazer uma mudança, irá encontrá-lo rígido.

Por que a maioria dos desenvolvedores teme fazer mudanças contínuas no código? Eles têm medo de quebrá-lo! Por quê? Porque eles não fazem testes.

Tudo retorna aos testes. Se você tem um conjunto automatizado de testes que cobre virtualmente 100% do código, e se esse conjunto pode ser executado rapidamente ao seu critério, então você simplesmente *não temerá mudar o código*. Como você prova que não tem medo de mudar o código? Mude ele o tempo todo.

Desenvolvedores profissionais estão tão certos de seus códigos que se sentem bastante à vontade com a proposta de efetuar mudanças aleatórias e oportunas. Eles mudarão o nome da classificação ao seu bel prazer. Inevitavelmente notarão método medianamente longo enquanto leem através de um módulo e o dividem. Transformarão uma mudança de instrução em implantação polimórfica ou causarão

[2] (PPP2001).

um colapso em uma hierarquia herdada de uma cadeia de comando. Em suma, eles tratam software da forma com que um escultor trata a argila – eles continuamente o modelam e dão forma.

Ética de Trabalho

Sua carreira é *sua* responsabilidade. Não é responsabilidade do seu empregador garantir que você se qualifique. Não é responsabilidade de seu empregador treiná-lo ou enviá-lo a conferências, ou comprar livros para você. Essas coisas são *sua* responsabilidade. Pobre do desenvolvedor de software que confia sua carreira ao seu empregador.

Alguns empregadores estão dispostos a comprar livros e enviá-lo a treinamentos e conferências. Tudo bem, eles estão lhe fazendo um favor. Mas nunca caia na armadilha de pensar que isso é responsabilidade deles. Se eles não fizerem essas coisas por você, deverá encontrar uma maneira de fazê-las você mesmo.

Também não é responsabilidade de seu empregador dar a você o tempo que precisa para aprender. Alguns empregadores podem lhe dar esse tempo. Alguns deles podem até exigir que você se dê esse tempo. Mas, repito, eles estão lhe fazendo um favor, e você deve agradecer apropriadamente. Mas tais favores não são algo que você deva esperar.

Você deve ao seu empregador um determinado montante de tempo e esforço. Tomando como base, vamos usar o modelo americano de 40 horas por semana. Essas 40 horas devem ser gastas em problemas de *seu empregador*, não nos *seus* problemas.

Você deve planejar trabalhar 60 horas por semana. As primeiras 40 são para seu empregador. As 20 restantes para você. Durante essas 20 horas restantes, você deve ler, praticar, aprender e, de outro modo, potencializar sua carreira.

Posso escutá-lo pensar: "Mas e quanto à minha família? E quanto à minha vida? Devo sacrificar tudo pelo empregador?".

Não estou falando aqui de *todo* o seu tempo livre. Estou falando de 20 horas extras por semana. Isso são três horas por dia. Se usar o horário de almoço para ler, escutar podcasts quando vai para o trabalho e usar 90 minutos por dia para aprender uma nova linguagem, você terá alcançado essa marca.

Faça as contas. Uma semana tem 168 horas. Dê 40 ao seu empregador e outras 20 à sua carreira. Isso o deixa com 108. Você usa 56 para dormir o que deixa 52 para todo o resto.

Quem sabe você não queira estabelecer esse tipo de comprometimento. Tudo bem, mas então não deve pensar em si próprio como um profissional. Profissionais usam seu tempo para se importar com sua profissão.

Talvez você pense que trabalho deve ficar no trabalho e não deve ser levado para casa. Eu concordo! Você não deve estar trabalhando para seu empregador durante aquelas 20 horas. Pelo contrário, deve trabalhar em sua carreira.

Às vezes essas duas coisas se alinham. O trabalho que você faz para seu empregador é altamente benéfico para sua carreira. Nesse caso, usar parte daquelas 20 horas nele é razoável. Mas lembre-se de que aquelas 20 horas são para *você*. Elas devem ser usadas para torná-lo um profissional mais valioso.

Talvez você ache que essa é uma receita para se ter um desgaste emocional. Pelo contrário, é uma receita para *evitar* esse problema. Provavelmente, você se tornou um desenvolvedor de software porque é apaixonado pelo assunto e seu desejo de ser um profissional é motivado por essa paixão. Aquelas 20 horas devem ser *divertidas*!

Conheça Seu Campo

Você sabe o que é um cartão Nassi-Schneiderman? Se não, por quê? Sabe qual a diferença entre uma máquina de Mealy e uma de Moore? Pois deveria. Você poderia escrever um quicksort sem colar? Sabe o que significa o termo "transformar análise"? É capaz de desempenhar uma decomposição funcional com Diagramas de Fluxo de Dados? O que o termo "tramp data" quer dizer? Você já escutou o termo "congeneridade"? O que é uma Tabela de Parnas?

Uma riqueza de ideias, disciplinas, técnicas, ferramentas e terminologias decoram os últimos cinquenta anos em nosso campo. Quanto você conhece sobre isso? Se quiser ser um profissional, deve saber uma fatia considerável e aumentar constantemente o tamanho dessa fatia.

Por que você deveria saber essas coisas? Afinal, o nosso campo não progride tão velozmente, que todas essas antigas ideias se tornam irrelevantes? A primeira parte dessa interrogação parece óbvia em sua superfície. Certamente, nosso campo está progredindo e em velocidade feroz. Apesar de ser interessante, contudo, esse progresso é, em muitos aspectos, secundário. É verdade que não esperamos mais 24 horas para compilar um "turnaround". Também é verdade que escrevemos sistemas com gigabytes de tamanho. É verdade que trabalhamos em meio a uma rede global abrangente, que fornece acesso instantâneo à informação. Por outro lado, estamos escrevendo as mesmas afirmações *if* e *while* que fazíamos há 50 anos. Muito mudou. Muito não.

A segunda parte da questão certamente não é verdade. Poucas ideias dos últimos 50 anos se tornaram irrelevantes. Algumas foram deixadas de lado, é verdade. A noção do desenvolvimento cascata certamente caiu em desfavor. Mas isso não significa que não deveríamos saber do que se trata e quais são seus pontos positivos e negativos.

Assim, a grande maioria das ideias duramente conquistadas nos últimos 50 anos são tão valiosas hoje, quanto eram na época. Talvez elas sejam até mais valiosas.

Lembre-se da praga de Santayana: "Aqueles que não puderem se lembrar do passado estão fadados a repeti-lo".

Aqui vai uma lista *mínima* de coisas em que todo profissional de software deve ser proficiente:

- Desenhar padrões. Você deve ser capaz de descrever todos os 24 padrões no livro GOF e ter um conhecimento de trabalho de muitos dos padrões do livro POSA.
- Desenhar princípios. Você precisa conhecer os princípios SOLID e ter um bom entendimento de seus componentes principais.
- Métodos. Você precisa entender XP, Scrum, Lean, Kanban, Waterfall, Análise Estruturada e Design Estruturado.
- Disciplinas. Você precisa praticar TDD, design Orientado a Objetos, Programação Estrutural, Integração Contínua e Pair Programming.
- Artefatos. Você deve saber como usar UML, DFDs, Estrutura de Gráficos, Petri Nets, Diagramas e Tabelas de Transição, gráficos de fluxo e tabelas de decisão.

APRENDIZAGEM CONTÍNUA

A taxa frenética de mudança em nossa indústria significa que desenvolvedores de software tem que continuar a aprender em quantidades abundantes só para acompanhar. Pobres dos arquitetos que param de codificar – eles irão rapidamente se ver irrelevantes. Pobres dos programadores que param de aprender novas linguagens – observarão a indústria os atropelar. Pobres dos desenvolvedores que deixam de aprender novas disciplinas e técnicas – seus colegas irão superá-los ao passo em que eles declinarão.

Você visitaria um médico que não está atualizado com as publicações de medicina? Contrataria um contador que não está atualizado sobre as leis fiscais e precedentes? Por que os empregadores deveriam contratar desenvolvedores que não se mantêm em dia?

Leia livros, artigos, blogs, tweets. Vá a conferências. Frequente grupos de usuários. Participe de grupos de leitura e estudos. Aprenda coisas que estejam fora de sua zona de conforto. Se você for um programador .NET, aprenda Java. Se for um programador de Java, aprenda Ruby. Se for um programador C, aprenda Lisp. Se quiser realmente fazer seu cérebro dobrar, aprenda Prolog e Forth!

PRATIQUE

Profissionais praticam. Verdadeiros profissionais trabalham firme para manter suas habilidades afiadas e prontas. Não é o bastante simplesmente fazer suas tarefas diárias e chamar isso de prática. Fazer seu trabalho diário é performance, e não prática. Prática é quando você especificamente exercita habilidades *fora* da performance de seu trabalho, com o único propósito de refinar e potencializar essas habilidades.

O que poderia significar praticar para um desenvolvedor de software? Em um primeiro momento, esse conceito pode parecer absurdo. Mas pare e pense por um momento. Considere como músicos dominam sua arte. Não é tocando. É praticando. E como eles praticam? Entre outras coisas, eles têm exercícios especiais os quais desempenham. Escalas, estudos e execuções. Eles fazem isso repetidamente para praticar os dedos e a mente, e manter o domínio da habilidade.

Então, o que desenvolvedores de software poderiam fazer para praticar? Há um capítulo inteiro neste livro dedicado a diferentes técnicas para se praticar, então não entrarei em maiores detalhes aqui. Uma técnica que uso frequentemente é a repetição de exercícios simples como `Jogo de Boliche` ou `Fatores Primos`. Chamo esse exercício de *kata*. Há muitos katas para se escolher.

Um kata geralmente vem na forma de um simples problema de programação para se resolver, como escrever a função que calcula os fatores primos de um número inteiro. O objetivo de um kata não é perceber como resolver o problema; você já sabe como fazê-lo. A questão é treinar os dedos e o cérebro.

Faço um kata ou dois todos os dias, em geral como parte de me preparar para trabalhar. Posso fazê-lo em Java, em Ruby, Clojure ou em alguma outra linguagem na qual desejo manter minhas habilidades. Uso o kata para afiar uma habilidade em particular, como manter meus dedos acostumados a tocar em teclas de atalho ou usar determinadas refatorações.

Pense no kata como um exercício de aquecimento matinal de dez minutos e outro de relaxamento no final da tarde.

Colaboração

A segunda melhor forma de aprender é colaborar com outras pessoas. Desenvolvedores de software profissionais fazem um esforço especial para programarem juntos, praticarem juntos, desenharem e planejarem juntos. Ao agir assim, eles aprendem bastante uns com os outros, e concluem o trabalho mais rapidamente e com menos erros.

Isso não significa que você precisa passar 100% de seu tempo trabalhando com os outros. O tempo sozinho também é muito importante. Por mais que eu goste de programar em dupla, fico maluco se não consigo um tempo para mim mesmo.

Ensino

A melhor forma de aprender é ensinando. Nada colocará fatos e valores em sua cabeça mais rapidamente e com mais rigidez do que comunicá-los às pessoas por quem você é responsável. Então o benefício de ensinar está fortemente a favor do professor.

Da mesma maneira, não há forma melhor de trazer pessoas novas para a organização do que sentar junto a elas e mostrar-lhes os enredos. Profissionais têm uma responsabilidade pessoal pelo ensino dos novatos. Eles não deixarão que um novato permaneça sem supervisão.

Conheça Seu Domínio

É responsabilidade de todo profissional de software entender o domínio das soluções que está programando. Se estiver escrevendo um sistema de contabilidade, precisa conhecer sobre o campo de contabilidade. Se estiver escrevendo um aplicativo para viagens, precisa conhecer a indústria de viagens. Não precisa ser um especialista no domínio, mas é necessário ter uma quantidade razoável de dedicação e cuidado a fim de se comprometer.

Quando começar um projeto em um novo domínio, leia um livro ou dois sobre o assunto. Entreviste seu cliente e usuários sobre o assunto básico do domínio. Passe algum tempo com especialistas e tente entender seus princípios e valores.

Simplesmente codificar a partir de uma especulação é o pior e mais antiprofissional tipo de comportamento, pois não se sabe se aquela especulação faz sentido para o negócio. Em vez disso, você deve conhecer o suficiente sobre o domínio para ser capaz de reconhecer e desafiar erros de especificação.

Identifique-se com Seu Empregador/Cliente

Os problemas de seu empregador são *seus* problemas. Você precisa entender o que esses problemas são e trabalhar em direção a soluções melhores. À medida que desenvolve um sistema, você precisa se colocar na posição do empregador e certificar-se de que os recursos que estejam sendo criados vão realmente atender às necessidades dele.

É fácil para os desenvolvedores se identificarem entre si. É fácil cair em uma atitude *nós versus eles* com relação ao seu empregador. Profissionais evitam isso a todo custo.

Humildade

Programar é um ato de criação. Quando escrevemos um código estamos criando algo do nada. Estamos impondo ordem sobre o caos de forma ousada. Estamos ordenando confiantemente, com detalhes precisos, os comportamentos de uma máquina que poderia, de outra forma, causar um prejuízo incalculável. Assim, programar é um ato de suprema arrogância.

Profissionais sabem que são arrogantes e não são falsamente humildes. Um profissional conhece seu trabalho e se orgulha dele. Tem confiança em suas habilidades e assume riscos calculados e corajosos com base nessa confiança. Um profissional não é tímido.

Entretanto, um profissional também sabe que haverá momentos nos quais ele falhará, os cálculos de seus riscos estarão errados, suas habilidades não serão suficientes; ele se olhará no espelho e verá um tolo arrogante sorrir de volta para si.

Então, quando um profissional se vir como o centro de uma piada, ele deve ser o primeiro a rir. Jamais ridicularizará os outros, mas aceitará ser ridicularizado quando isso for merecido e dará risada quando não for. Ele não humilhará outro por ter cometido um erro, porque sabe que ele pode ser o próximo a falhar.

Um profissional entende sua arrogância suprema e, que, eventualmente, o destino perceberá e nivelará suas metas. Quando essa meta se conecta, o melhor que você pode fazer é seguir o conselho de Howard: Rir.

Bibliografia

(PPP2001): Robert C. Martin, *Principles, Patterns and Practices of Agile Software Development,* Upper Saddle River, NJ: Prentice Hall, 2002.

2 Dizendo Não

"Fazer ou não fazer. Não existe tentativa."

- Yoda

No começo dos anos 1970, eu e dois amigos de 19 anos estávamos trabalhando em um sistema contábil em tempo real para o sindicato da Teamster, em Chicago, por intermédio de uma empresa chamada ASC. Se nomes como Jimmy Hoffa vêm à mente, é exatamente isso. Você não brincava com os sindicatos em 1971.

Nosso sistema deveria entrar no ar em determinada data. *Muito* dinheiro estava em jogo naquela data. Nossa equipe vinha trabalhando 60, 70, 80 horas por semana para tentar cumprir a agenda.

Uma semana antes de entrar no ar, finalmente conseguimos montar o sistema em sua plenitude. Havia muitos bugs e problemas com os quais lidar e trabalhamos freneticamente em toda a lista. Não havia tempo para comer e dormir, muito menos pensar.

Frank, o gerente da ASC, era um coronel aposentado da Força Aérea. Ele era um daqueles gerentes do tipo que fala alto e na sua cara. Era da forma como ele queria ou rua, e ele o colocaria na rua jogando-o sem paraquedas a uma altura de10.000 pés. Nós, que tínhamos 19 anos de idade, mal conseguíamos fazer contato visual com ele.

Frank disse que precisava ser feito no prazo. Isso era tudo. A data chegaria e teríamos feito. Ponto final. Sem discussão. Câmbio e desligo.

Meu chefe, Bill, era um cara simpático. Ele já trabalhava com Frank há alguns anos e entendia o que era possível ser feito com Frank e o que não era. Disse-nos que entraríamos no ar na data prevista, independentemente do que acontecesse.

Então entramos no ar no prazo. E foi um enorme desastre.

Havia dezenas de terminais half-duplex de 300-baud, que conectavam as matrizes da Teamster em Chicago com nossa máquina, à trinta milhas ao norte nos subúrbios. Cada um desses terminais travava por 30 minutos ou algo assim. Tínhamos visto esse problema antes, mas não havíamos simulado o tráfego que a entrada de dados do sindicato estava repentinamente lançando em nosso sistema.

Para piorar, as folhas avulsas que estavam sendo impressas nos teletipos ASR35 e que, também, estavam conectadas ao nosso sistema pelas linhas telefônicas de 110-baud, congelaram no meio da impressão.

A solução para isso era reiniciar. Então, eles precisaram fazer com que todos, cujo terminal ainda estava funcionando, terminassem seu trabalho e então parassem. Quando todos pararam, pediram para que reiniciássemos. As pessoas que haviam travado tiveram que recomeçar. E isso estava acontecendo mais de uma vez por hora.

Após metade do dia assim, o gerente do escritório da Teamster nos disse para encerrar o sistema e não o iniciar novamente até consertá-lo. Enquanto isso, eles tinham perdido meio dia de trabalho e teriam que reentrar tudo, utilizando o antigo sistema.

Escutamos os resmungos e rugidos de Frank por todo o edifício. Eles continuaram por muito, muito tempo. Então Bill e nosso analista de sistemas, Jalil, vieram até nós e perguntaram quando poderíamos estabilizar o sistema. Eu disse, "quatro semanas".

A expressão no rosto deles era de horror e depois de determinação. "Não", eles disseram, "Ele tem que estar funcionando na sexta-feira".

Então eu disse, "Olhe, nós mal colocamos este sistema em funcionamento na semana passada. Temos que resolver todos os problemas e dificuldades. Precisamos de quatro semanas".

Mas Bill e Jalil foram irredutíveis. "Não, tem que ser na sexta-feira. Vocês podem ao menos tentar?".

Então nosso líder disse, "Ok, vamos tentar".

Sexta-feira era uma boa opção, a carga do final de semana era bem menor. Poderíamos encontrar mais problemas e corrigi-los antes que a segunda-feira chegasse. Mesmo assim, o castelinho de cartas quase desmoronou novamente. Os problemas de travamento continuaram ocorrendo uma ou duas vezes ao dia. Havia outros problemas também. Mas gradualmente, após algumas semanas, colocamos o sistema em um ponto onde as queixas diminuíram, e a vida normal pareceu ser possível.

Então, conforme contei na introdução, todos pediram demissão. E eles ficaram com uma verdadeira crise em mãos. Tiveram que contratar um novo grupo de programadores para tentar lidar com a enorme quantidade de problemas que vinha dos clientes.

A quem podemos atribuir a culpa desse desastre? Claramente, o estilo de Frank foi parte do problema. Seu comportamento intimidador tornou difícil para que ele escutasse a verdade. De fato, Bill e Jalil deveriam ter enfrentado Frank de forma bem mais severa do que fizeram. Certamente, o líder de nossa equipe não deveria ter concordado com a exigência da sexta-feira. E eu deveria, sem dúvida, ter continuado a dizer "não", em vez de entrar na fila atrás do nosso líder.

Profissionais falam a verdade. Eles têm coragem de dizer não aos seus gerentes.

Como você diz não para seu chefe? Afinal, ele é seu *chefe*! Você não deveria fazer o que ele diz?

Não. Não se você for um profissional.

Escravos não podem dizer não. Trabalhadores podem hesitar em dizer não. Mas *se espera* que profissionais o digam. Na verdade, bons gerentes almejam alguém que tenha a coragem de dizer não. É a única maneira pela qual você realmente pode conseguir que algo seja feito.

Papéis Contraditórios

Um dos revisores deste livro realmente odiou este capítulo. Ele disse que quase o fez deixar o livro de lado. Ele havia criado equipes nas quais não havia um relacionamento contraditório; as equipes trabalhavam juntas em harmonia e sem confrontação.

Fico feliz por esse revisor, mas me pergunto se essas equipes estavam tão livres dos confrontos quanto ele supunha. E se elas estivessem, me pergunto também, se são tão eficientes quanto poderiam ser. Minha própria experiência tem sido de que as decisões mais difíceis são tomadas pela confrontação de papéis contraditórios.

Gerentes são pessoas com um trabalho a fazer e a maior parte deles sabe como fazê-lo muito bem. Parte desse trabalho é perseguir e defender seus objetivos o mais agressivamente possível.

De forma igual, programadores também são pessoas com um trabalho a fazer, e quase todos o fazem muito bem. Se eles forem profissionais, perseguirão e defenderão *seus* objetivos o mais agressivamente possível.

Quando seu gerente diz que a página de login deve estar pronta amanhã, ele está perseguindo e defendendo os interesses dele. Ele está fazendo o trabalho de gerente. Se você souber com certeza que é impossível aprontar a página de login para amanhã, então não estará fazendo seu trabalho se disser, "Ok, eu vou tentar". A única forma de fazer seu trabalho a essa altura é dizer, "Não, isso é impossível".

Mas você não deve fazer o que o gerente diz? Não. O gerente está contando com você para defender seus objetivos tão agressivamente quanto ele defende os dele. É assim que ambos obterão o *melhor resultado possível.*

O melhor resultado possível é a meta que você e o gerente partilham. O truque é encontrar essa meta que, em geral, envolve negociação.

Às vezes, a negociação pode ser agradável:

> Mike: Paula, eu preciso da página de login pronta amanhã.
>
> Paula: Oh, uau! Já? Ok, tudo bem. Vou tentar.
>
> Mike: Ok, isso é ótimo. Obrigado!

Essa foi uma pequena e agradável conversação. Toda confrontação foi evitada. Ambas as partes saíram sorrindo. Legal.

Mas ambas as partes estavam se comportando de forma não profissional. Paula sabe muito bem que a página de login levará mais do que um dia para ficar pronta; então, ela está mentindo. Ela pode não encarar dessa forma. Talvez ela pense que, de fato, *tentará*, e talvez ela conserve uma pequena esperança de que conseguirá. Mas no final, ainda é uma mentira.

Mike, por outro lado, aceitou o "vou tentar" como um "sim". Isso é uma coisa imbecil de ser feita. Ele deveria saber que Paula estava tentando evitar um confronto, então deveria ter pressionado o assunto dizendo, "Você parece hesitante. Tem certeza de que conseguirá para amanhã?".

> Aqui vai outra agradável conversa:
>
> Mike: Paula, eu preciso da página de login pronta amanhã.
>
> Paula: Oh, desculpe Mike, mas levará mais tempo que isso.
>
> Mike: Quando você acha que conseguirá aprontar?
>
> Paula: Que tal daqui a duas semanas?
>
> Mike: (rabisca algo em sua agenda) Ok, obrigado.

Por mais agradável que isso possa ter sido, também foi terrivelmente disfuncional e totalmente antiprofissional. Ambos os lados falharam na busca do melhor resultado possível. Em vez de perguntar se o prazo de duas semanas estava bom, Paula deveria ter sido mais assertiva: "Vai levar duas semanas, Mike".

Mike, por outro lado, simplesmente aceitou a data sem questionar, como se seus objetivos não importassem. Pergunta-se se ele não irá meramente reportar ao seu chefe que a entrega da demo do cliente precisará ser adiada por causa de Paula. Esse tipo de comportamento passivo-agressivo é moralmente repreensível.

Seja como for, nenhum dos lados perseguiu uma meta em comum aceitável, nem está buscando o melhor resultado possível. Vamos tentar o seguinte:

Mike: Paula, eu preciso da página de login pronta amanhã.

Paula: Não, Mike, isso é trabalho para duas semanas.

Mike: Duas semanas? Os arquitetos estimaram em três dias e já fazem cinco!

Paula: Os arquitetos erraram, Mike. Fizeram a estimativa antes que o marketing do produto passasse as exigências. Tenho, pelo menos, mais dez dias de trabalho para fazer em cima disso. Não viu minha atualização da estimativa na wiki?

Mike: (parecendo tenso e tremendo de frustração) Isso não é aceitável, Paula. Os clientes virão para uma demonstração amanhã e preciso mostrar-lhes a página de login funcionando.

Paula: Qual parte da página de login precisa estar funcionando amanhã?

Mike: Preciso da *página de login*! Preciso ser capaz de fazer o login.

Paula: Mike, eu posso lhe entregar um composto da página de login que o permitirá fazer o acesso. Tenho isso funcionando agora. Ele não checará de verdade seu nome de usuário e senha e não enviará um e-mail para você caso esqueça sua senha. Não haverá o banner de novidades da empresa na parte superior, e o botão de ajuda e o *hover text* não funcionarão. Não armazenará um cookie para lembrá-lo da próxima vez e não apresentará nenhuma restrição de permissão a você. Mas será possível fazer o login. Isso serve?

Mike: Vou fazer o login?

Paula: Sim, vai.

Mike: Ótimo, Paula. Você salvou nossas vidas! (se afasta socando o ar e dizendo "Ótimo").

Eles chegaram ao melhor resultado possível. Fizeram isso ao dizer não e, então, trabalharam na solução que fosse mutuamente aceitável. Estavam agindo como profissionais. A conversa foi um pouco contraditória, e houve alguns momentos desconfortáveis, mas isso é esperado quando duas pessoas buscam assertivamente metas que não estejam em perfeito alinhamento.

E Quanto ao Porquê?

Talvez você ache que Paula deveria ter explicado *por que* a página de login levaria tanto tempo. Minha experiência diz que o *porquê* é muito menos importante que o *fato*. O fato é que a página de login precisará de duas semanas. O motivo é apenas um detalhe.

Ainda assim, saber o motivo poderia ajudar Mike a entender, e assim aceitar o fato. É justo. Em situações nas quais Mike tenha conhecimento técnico e disposição para entender, tais explicações podem ser úteis. Por outro lado, Mike poderia discordar da conclusão. Ele poderia decidir que Paula está fazendo tudo errado. Poderia dizer a ela que não são necessários todos aqueles testes, ou toda aquela revisão, ou ainda, que o passo 12 poderia ser omitido. Dar detalhes demais pode ser um convite para o microgerenciamento.

Apostas Altas

O momento mais importante para se dizer "não" é quando as apostas são altas. Quanto mais alta for a aposta, mais valioso o "não" se torna.

Isso deveria ser evidente por si só. Quando o custo do fracasso é tão alto que a sobrevivência da empresa depende dele, você precisa ser absolutamente determinado em dar aos gerentes a melhor informação que puder. E isso envolve dizer "não" com frequência.

Don: (Diretor de Desenvolvimento): Então, nossa estimativa atual para completar o projeto do Ganso Dourado é de doze semanas, a partir de hoje, com uma incerteza de mais ou menos cinco semanas.

Charles: (CEO): (senta-se, observando durante quinze segundos, enquanto seu rosto enrubesce) Você quer dizer que podemos estar a dezessete semanas de entregar o produto?

Don: Isso é possível, sim.

Charles: (levanta-se, Don se levanta um segundo depois) Caramba, Don! Isso tinha que ter sido feito há três semanas! Estou com a Galitron me ligando todo dia e me perguntando onde estão os malditos sistemas. Eu não vou dizer a eles que terão que esperar mais quatro meses. Você vai ter que fazer melhor que isso.

Don: Chuck, eu disse há três meses, depois de todas as demissões, que precisaríamos de outros quatro meses. Quero dizer, meu Deus, Chuck, você cortou minha equipe em 20%. Naquela época, você falou à Galitron que atrasaríamos?

Charles: Você sabe muito bem que eu não falei. Não podemos nos dar o luxo de perder esse pedido, Don (Charles faz uma pausa, seu rosto fica pálido). Sem a Galitron, já éramos. Você sabe disso, não sabe? E agora, com esse atraso, meu medo... O que vou dizer à diretoria? (ele se senta lentamente na cadeira, tentando não desmontar) Don, você precisa fazer melhor que isso.

Don: Não tem nada que eu possa fazer, Chuck. Já passamos por isso antes. A Galitron não vai cortar a esfera de ação, nem aceitar qualquer release provisório. Eles querem fazer a instalação de uma vez e acabar com isso. Simplesmente não há como fazer isso mais rápido. Não vai acontecer.

Charles: Maldição. Acho que não fará diferença dizer que seu emprego está em jogo?

Don: Me despedir não irá alterar a estimativa, Charles.

Charles: Acabamos aqui. Volte para a equipe e mantenha esse projeto em andamento. Tenho que fazer alguns telefonemas bastante difíceis.

Claro, Charles deveria ter dito "não" para a Galitron há três meses, quando descobriu sobre as novas estimativas. Pelo menos, agora, ele está fazendo a coisa certa e telefonando para eles (e para a diretoria). Mas se Don não tivesse defendido sua posição, essas ligações poderiam ter sido adiadas ainda mais.

TRABALHANDO EM EQUIPE

Todos já escutamos sobre o quanto é importante saber trabalhar em equipe. Isso significa desempenhar seu papel da melhor forma possível e ajudar seus colegas quando estiverem com problemas. Aquele que sabe trabalhar em equipe se comunica frequentemente, mantém o olho nos colegas e executa suas responsabilidades da melhor forma.

Trabalhar em equipe não é dizer sim o tempo todo. Considere esta situação:

Paula: Mike, tenho estas estimativas para você. A equipe concorda que estaremos prontos para entregar a demo em oito semanas, com uma semana a mais ou a menos de diferença.

Mike: Paula, já marcamos a demo para daqui a seis semanas.

Paula: Sem escutar o que tínhamos a dizer primeiro? Qual é, Mike. Você não pode forçar a coisa em cima da gente assim.

Mike: Já foi feito.

Paula: (suspira) Ok, olha, vou retornar à equipe e ver o que podemos fazer para entregar com segurança em seis semanas, mas não será o sistema completo. Alguns recursos estarão faltando e o carregamento dos dados estará incompleto.

Mike: Paula, o cliente espera ver uma demo completa.

Paula: Isso não vai acontecer, Mike.

Mike: Droga. Ok, trabalhe em cima do melhor plano que puder e me avise qual é amanhã.

Paula: Isso eu posso fazer.

Mike: Há algo que você possa fazer para cumprir este prazo? Talvez exista alguma forma de trabalhar que seja mais inteligente e criativa.

Paula: Somos todos muito criativos, Mike. Já demos uma boa olhada no problema e a data será de oito a nove semanas, não seis.

Mike: Vocês podem fazer hora extra.

Paula: Isso só fará com que a gente se atrase mais. Lembra da bagunça que fizemos da última vez que trabalhamos acima do previsto?

Mike: Sim, mas aquilo não precisa acontecer dessa vez.

Paula: Será exatamente igual, Mike. Confie em mim. Serão oito ou nove semanas, não seis.

Mike: Ok, envie seu melhor plano, mas continue a pensar em como isso pode ser feito em seis semanas. Sei que seu pessoal pensará em algo.

Paula: Não, Mike, não vamos. Vou te arrumar um plano para seis semanas, porém ficarão faltando vários recursos e dados. É como terá que ser.

Mike: Tudo bem, mas tenho certeza que o pessoal pode conseguir milagres, se tentarem.

(Paula se afasta balançando a cabeça).

Mais tarde, na reunião de estratégia da Diretoria...

Don: Ok Mike, como você sabe, o cliente virá para uma demo em seis semanas. Eles esperam ver tudo funcionando.

Mike: Sim, e estaremos prontos. Minha equipe está ralando o coco e vai deixar tudo pronto. Teremos que fazer um pouco de hora extra e sermos muito criativos, mas vamos fazer a coisa acontecer!

Don: É ótimo que você e sua equipe saibam como jogar em um time.

Quem eram os *verdadeiros* membros da equipe neste cenário? Paula estava jogando pela equipe, porque ela apresentou o que podia e o que não podia ser feito, com o melhor de sua capacidade. Ela defendeu sua posição agressivamente, apesar das ilusões de Mike. Ele estava jogando em uma equipe de uma pessoa. Ele faz parte do time de Mike. Claramente, não está na equipe de Paula porque acabou de comprometê-la com algo que ela disse, explicitamente, que não poderia fazer. Ele também não está na equipe de Don (embora discorde) porque acabou de mentir na deslavadamente.

Então, por que Mike fez isso? Ele queria que Don o visse como um jogador de equipe, e tem fé em sua habilidade de manipular e iludir Paula em sua *tentativa* de cumprir o prazo de seis semanas. Mike não é perverso; tem apenas excesso de confiança em sua capacidade de conseguir que as pessoas façam aquilo que ele quer.

TENTAR

A pior coisa que Paula poderia fazer em resposta às manipulações de Mike seria dizer, "Ok, vamos tentar". Detesto pregar Yoda aqui, mas neste exemplo ele está correto. *Não existe tentativa.*

Talvez você não goste dessa ideia. Quem sabe você ache que *tentar* é algo positivo. Afinal, como Colombo descobriria a América se não tivesse tentado?

A palavra "tentar" tem muitas definições. A definição que me aproprio aqui é "aplicar esforço adicional". Que esforço adicional Paula poderia aplicar para conseguir que a demo fosse feita no prazo? Se houvesse algum esforço extra para ser aplicado, então ela e sua equipe não estariam aplicando todo seu esforço antes. Estariam guardando algum esforço para a reserva[1].

A promessa de tentar é uma admissão de que você estava se segurando, que tem uma reserva de energia extra para aplicar. Trata-se de uma admissão de que a meta é atingível por meio da aplicação de um esforço adicional; mais do que isso, é um comprometimento para aplicar esse esforço. Portanto, você está se comprometendo a obter sucesso. Isso deposita o fardo sobre você. Se sua "tentativa" não levar ao resultado desejado, você terá falhado.

Você estava guardando uma reserva de energia extra? Se aplicar essas reservas, será capaz de cumprir a meta? Ou ao prometer tentar, estará simplesmente se comprometendo com o fracasso?

Ao prometer tentar, você está prometendo mudar seus planos. Afinal, os planos que tinha eram insuficientes. Está afirmando que agora tem um novo plano. Qual é o novo plano? Que mudanças fará com o novo comportamento? Quais coisas fará diferente agora com sua nova "tentativa"?

Se você não tiver um plano novo, se não mudar seu comportamento, se for fazer tudo exatamente igual ao que faria antes de dizer que tentaria, então o que significa "tentar"?

1. Como Frangolino: "Sempre deixo minhas penas numeradas para alguma emergência".

Se você não está guardando alguma energia extra, se não tem um plano novo, se não fará mudanças em seu comportamento e se tem confiança em sua estimativa original, então uma promessa de tentar é algo fundamentalmente desonesto. Você está *mentindo*. E está fazendo isso provavelmente para salvar sua pele e evitar confrontos.

A abordagem de Paula foi muito melhor. Ela continuou a lembrar Mike de que a estimativa da equipe era incerta. Ela sempre disse, "oito a nove semanas". Enfatizou a incerteza e não voltou atrás. Ela nunca sugeriu que poderia haver algum esforço adicional ou algum plano novo, ou alguma mudança de comportamento que poderia reduzir aquela incerteza.

Três semanas depois...

Mike: Paula, a demo é daqui a três semanas e os clientes estão exigindo ver o upload de arquivos funcionando.

Paula: Mike, isso não está na lista dos recursos que combinamos.

Mike: Eu sei, mas eles estão exigindo.

Paula: Ok, isso significa que o logon único ou backup terá que ser retirado da demo.

Mike: De jeito nenhum! Eles querem ver esses recursos funcionando também!

Paula: Então eles estão esperando ver todos os recursos funcionando. Isso é o que você está me dizendo? Eu disse que isso não daria.

Mike: Sinto muito, Paula, mas o cliente simplesmente não cederá nisso. Eles querem ver tudo.

Paula: Isso não vai dar, Mike. Não vai.

Mike: Vamos lá, Paula. O pessoal não pode, ao menos, tentar?

Paula: Mike, eu poderia tentar levitar. Poderia tentar transformar chumbo em ouro. Poderia tentar cruzar o Atlântico à nado. Você acha que eu conseguiria?

Mike: Agora você não está sendo razoável. Você acha que o que estou pedindo é impossível?

Paula: Sim, Mike.

(Mike sorri afetadamente, acena com a cabeça e se afasta)

Mike: Tenho fé em você, Paula; sei que não me desapontará.

Paula: (atrás de Mike) Mike, você está sonhando. Isso não vai terminar bem.

(Mike apenas acena sem olhar para trás)

AGRESSÃO PASSIVA

Paula tem uma decisão interessante a tomar. Ela suspeita que Mike não está dizendo as estimativas a Don. Ela poderia apenas deixar Mike caminhar até a beira do precipício. Poderia se certificar de que as cópias de todos os memorandos estão arquivadas, de forma que quando o desastre aconteça, ela possa mostrar *o que* ela disse a Mike e *quando* o fez. Isso é agressão passiva. Ela apenas deixaria Mike se enforcar.

Ou ela poderia tentar evitar o desastre se comunicando diretamente com Don. Isso é arriscado para ser honesto, mas é o significado verdadeiro de trabalhar em equipe. Quando um trem de carga está descarrilando e você é a única pessoa que pode vê-lo, você pode sair silenciosamente da frente e ver todo mundo ser atropelado ou pode gritar: "Trem! Saiam todos do caminho!".

Dois dias depois...

Paula: Mike, você falou com Don sobre as estimativas? Ele disse aos clientes que a demo não terá o upload de arquivos funcionando?

Mike: Você disse que o faria funcionar para mim.

Paula: Não, Mike, eu não disse. Eu disse que era impossível. Aqui está uma cópia do memorando que enviei após nossa conversa.

Mike: Sim, mas você ia tentar mesmo assim, certo?

Paula: Já discutimos isso. Lembra, chumbo e ouro?

Mike: (suspira) Olha, Paula, você tem que fazer isso. Não há outra escolha. Por favor, faça o que for preciso, mas tem que fazer isso acontecer para mim.

Paula: Mike, você está errado. Não tenho que fazer isso acontecer para você. O que eu tenho que fazer, se você não o fizer, é contar
para Don.

Mike: Isso seria passar por cima de mim e você não faria isso.

Paula: Eu não quero, Mike, mas farei se me forçar.

Mike: Oh, Paula...

Paula: Olha, Mike, os recursos não estarão prontos a tempo para a demo. Você precisa por isso em sua cabeça. Pare de tentar me convencer a trabalhar mais. Pare de se iludir de que eu vou, de alguma forma, tirar um coelho da cartola. Encare os fatos de que você precisa falar com Don e tem que ser hoje.

Mike:	(olhos arregalados) "Hoje?"
Paula:	Sim, Mike. Porque amanhã espero ter uma reunião com você e Don sobre quais recursos teremos na demo. Se essa reunião não acontecer amanhã, então serei forçada a ir, eu mesma, até o Don. Aqui está uma cópia do memorando que explica exatamente isso.
Mike:	Você só está se protegendo!
Paula:	Mike, estou protegendo *nós* dois. Você consegue imaginar o desastre se o cliente chegar aqui esperando ver uma demo completa e não a entregarmos?

O que acontecerá no final com Mike e Paula? Vou deixar que você trabalhe nas possibilidades. A questão é que Paula se comportou de forma bastante profissional. Ela disse não nas ocasiões corretas e das formas corretas. Ela disse não quando forçada a alterar as estimativas. Disse não quando foi manipulada, adulada e implorada. E ainda, mais importante, ela disse não à ilusão de Mike e à sua inércia. Paula estava jogando em prol da equipe. Mike precisava de ajuda e ela utilizou todos os meios ao seu dispor para ajudá-lo.

O Custo de Dizer Sim

Na maior parte do tempo queremos dizer sim. Na verdade, equipes saudáveis lutam para encontrar uma forma de dizer sim. Gerentes e desenvolvedores em equipes bem dirigidas negociam mutuamente até concordarem com um plano de ação.

Mas conforme vimos, às vezes, a única forma de obter o *sim* correto é não tendo medo de dizer *não*.

Considere a seguinte história que John Blanco postou em seu blog[2]. Foi reproduzida aqui com sua permissão. Conforme lê-la, pergunte-se quando e como ele deveria ter dito não.

[2] http://raptureinvenice.com/?p=63.

O CÓDIGO BOM É IMPOSSÍVEL?

Quando você chega na adolescência, decide que deseja ser um desenvolvedor de software. Durantes os anos escolares, você aprende como escrever o software, usando princípios de objeto orientado. Quando se gradua na faculdade, aplica todos os princípios que aprendeu em áreas como inteligência artificial e gráficos 3D.

Quando chega ao circuito profissional, começa sua busca incessante para escrever códigos de qualidade comercial, sustentáveis e "perfeitos", que suportarão a passagem do tempo.

Qualidade comercial. Huh. Isso é bem engraçado.

Considero-me sortudo, pois eu adoro desenhar padrões. Gosto de estudar a teoria de perfeição da codificação. Não tenho problemas em começar uma discussão de uma hora

sobre o porquê que a escolha de meu parceiro pelo XP está hierarquicamente errada – que HAS-A é melhor do que IS-A em diversos casos. Mas algo tem me incomodado ultimamente e tenho me perguntado o seguinte...

... O código bom é impossível no desenvolvimento moderno de software?

A Típica Proposta de Um Projeto

Como um desenvolvedor contratado em período integral (e meio período), passo meus dias (e noites) desenvolvendo aplicativos de celulares para clientes. O que aprendi ao longo de muitos anos que tenho feito isso é que as demandas de trabalho dos clientes impossibilitam que eu escreva os aplicativos com a verdadeira qualidade que gostaria.

Antes de começar, permita-me dizer que não é por falta de tentativa. Eu adoro o assunto do código limpo. Não conheço ninguém que persiga o design perfeito de um software como eu. É a execução que acho mais elusiva, e não pelos motivos que você pensa.

Deixe-me contar uma história.

Por volta do final do ano passado, uma empresa bastante conhecida lançou uma solicitação de proposta para ter um aplicativo construído. Eles são um grande varejista, mas para manter o anonimato vamos chamá-los de Gorila Mart. Disseram que precisavam criar um assistente para iPhone e gostariam que um aplicativo fosse produzido para eles na Sexta-feira Negra*. A pegadinha? Já era 1° de novembro. Isso deixava apenas quatro semanas para criar o aplicativo. E àquela altura, a Apple ainda estava levando duas semanas para aprovar aplicativos (ah, os bons e velhos tempos). Então, espere aí, esse aplicativo precisaria ser escrito em... DUAS SEMANAS?!?!

Continua

Sim. Tínhamos esse prazo para fazê-lo. E, infelizmente, havíamos ganhado a licitação (nos negócios, a importância do cliente é vital). Aquilo tinha que acontecer.

> "Mas tudo bem", disse o Executivo da Gorila Mart nº 1. "O aplicativo é simples. Precisa mostrar aos usuários alguns produtos de nosso catálogo e deixá-los procurar pela localização das lojas. Já fazemos isso em nosso site. Daremos os gráficos a vocês também. Provavelmente vocês poderão – qual é o termo – ah sim, mandar ver!".
>
> O Executivo da Gorila nº 2 se intromete. "E nós só precisamos de alguns cupons que o usuário possa mostrar no caixa. O aplicativo será descartável. Vamos colocá-lo para funcionar e, depois, na Fase II, faremos algo maior e melhor desde o rascunho".

Então estava acontecendo. Apesar dos anos de lembretes constantes de que cada recurso que um cliente pede será sempre mais complexo de ser escrito do que de ser explicado, caímos dentro. Você de fato chega a acreditar a certo ponto que ele poderá ser entregue em duas semanas. Sim! Podemos fazer isso! Dessa vez será diferente! São só alguns gráficos e um serviço de chamadas para passar a localização das lojas. XML! Fácil, fácil. Podemos fazer isso. Estou empolgado! Vamos lá!

Leva só alguns dias para que você e a realidade façam contato novamente.

> Eu: Então, você pode me dar a informação que preciso para ligar a localização das lojas ao serviço de rede?
>
> O Cliente: O que é um serviço de rede?
>
> Eu: ....

E foi exatamente assim que aconteceu. O serviço de localização de lojas deles, que estava exatamente onde deveria estar, no canto superior direito do site, não era um serviço de rede. Era gerado por código Java. Ix-nay com API-ay. E, para completar, era hospedado por um parceiro estratégico da Gorila Mart.

Entra o malvado "terceiro".

Em termos de clientes, um "terceiro" equivale à Angelina Jolie. Apesar da promessa de que você será capaz de ter uma conversa edificante durante uma boa refeição e, com um pouco de sorte, se dar bem depois... Sinto muito. Não vai acontecer. Você só poderá fantasiar enquanto é o único a se preocupar com o negócio.

Em meu caso, a única coisa que pude arrancar da Gorila Mart foi uma lista em um arquivo em Excel com suas lojas atuais. Tinha que escrever o código de localização das lojas desde o rascunho.

O golpe fatal veio mais tarde naquele dia: eles queriam o produto e os dados do cupom online de forma que pudesse ser mudado semanalmente. Lá se vai o "mandar ver"! Duas semanas para escrever um aplicativo para iPhone tornaram-se agora duas semanas para escrever um aplicativo para iPhone, um backend PHP e integrá-los... O que? Eles também querem que eu lide com a GQ?

Para compensar o esforço adicional, o código terá que ser um pouco mais rápido. Esqueça aqueles fatores abstratos. Use um grande fator para fazer loop ao invés do composto, não há tempo!

O código limpo se tornara impossível.

Duas Semanas para Entregar

Deixem-me dizer uma coisa, aquelas duas semanas foram miseráveis. Primeiro, dois dias foram eliminados devido a todas as reuniões sobre meus projetos seguintes (isso potencializa o tanto que uma estrutura de tempo como essa é curta). Por fim, eu tinha de fato oito dias para conseguir que as coisas fossem feitas. Na primeira semana, trabalhei 74 horas e na seguinte... Deus... Nem sequer me lembro, ela foi erradicada de minhas sinapses. Provavelmente, isso é uma coisa positiva.

Passei aqueles oito dias escrevendo o código incansavelmente. Usei todas as ferramentas disponíveis para conseguir: copiar e colar (reutilização de um código AKA); números mágicos (evitando a duplicação de constantes definidas e, então, suspiro!, redigitá-las); e absolutamente NADA de testes de unidade (quem precisa de barras vermelhas em uma situação como essa; só me desmotivaria!).

Foi um código péssimo e nunca tive tempo para uma refatoração. Considerando o prazo, entretanto, foi na verdade bastante estelar, e de qualquer modo era um código "descartável", certo? Isso lhe parece familiar? Bem, espere só um pouco, fica ainda melhor.

Enquanto dava os retoques finais no aplicativo (isso significa escrever o código completo do servidor), comecei a olhar o código base e me perguntar se ele valia a pena. O aplicativo estava pronto, afinal. Eu tinha sobrevivido!

> "Ei, acabamos de contratar Bob e ele está bastante ocupado, e não pôde dar o telefonema, mas disse que deveríamos pedir aos usuários seus endereços de e-mail para que obtenham os cupons. Ele ainda não viu o aplicativo, mas acha que isso seria uma grande ideia. Também queremos um sistema de relatório para obter esses e-mails do servidor. Um que seja bom e barato (espere, essa última parte foi Monty Python). Falando de cupons, eles precisam expirar após uma determinada quantidade de dias que especificaremos. Oh, e...".

Vamos voltar um pouco. O que sabemos sobre um código bom? Um código bom deve ser prorrogável. Sustentável. Deve se prestar a modificações. Deve ser lido como prosa. Bem, este não era um código bom.

Continua

Outra coisa. Se você quiser ser um desenvolvedor melhor, precisa ter sempre em mente esta inevitabilidade: o cliente sempre aumentará o prazo. Sempre desejará mais recursos. Sempre pedirá mudanças e NA ÚLTIMA HORA. E a seguir vai a fórmula sobre o que esperar:

(Nº de Executivos)^2

+ 2 x nº de Novos Executivos

+ nº dos filhos de Bob

= DIAS ADICIONADOS NO ÚLTIMO MINUTO

Agora, os executivos são gente decente. Eu acho. Eles cuidam de suas famílias (presumindo que o Diabo tenha permitido que eles tenham uma). Querem que o aplicativo seja bem-sucedido (hora de promoção!). O problema é que todos eles querem um crédito direto para o sucesso do projeto. Quando tudo já foi dito e feito, todos querem apontar para algum recurso ou decisão sobre o design e dizer que aquilo é responsabilidade deles.

Então, de volta à história, adicionamos alguns dias a mais para o projeto e conseguimos que o recurso do e-mail fosse feito. E, então, eu desmaiei de exaustão.

Os Clientes Nunca Se Importam Tanto Quanto Você

Os clientes, apesar de seus protestos e de sua aparente urgência, nunca se importam tanto quanto você com o prazo de um aplicativo. Na tarde em que completei o trabalho, enviei um e-mail com a construção final para todos os acionistas, executivos, gerentes, e assim por diante. "ESTÁ PRONTO! EU LHES ENTREGO V1.0! LOUVADO SEJA DEUS!". Apertei enviar, recostei na cadeira e com um sorriso amarelo comecei a fantasiar sobre como a empresa me carregaria em seus ombros e faria uma procissão ao longo da Av. 42, enquanto eu era coroado como "o maior desenvolvedor de todos os tempos". No mínimo, meu rosto estaria em todos os anúncios deles, certo?

Engraçado, eles não concordaram. Na verdade, não tinha certeza do que pensavam. Não escutei nada. Nem um pio. Acontece que o pessoal da Gorila Mart também era ansioso e já havia passado para a próxima meta.

Acha que estou mentindo? Dê uma olhada. Fui até uma loja da Apple sem preencher um descritivo do aplicativo. Eu havia pedido um para a Gorila Mart, mas eles não me retornaram e não havia tempo para esperar (veja o parágrafo anterior). Escrevi para eles de novo. E de novo. Envolvi o pessoal de nossa própria gerência nisso. Duas vezes escutei uma resposta e, nas duas, me foi dito, "O que você precisa mesmo?". EU PRECISO DA DESCRIÇÃO DO APLICATIVO!

Uma semana depois, a Apple começou a testar o aplicativo. Essa época costuma ser de alegria, mas acabou sendo uma época de apreensão mortal. Conforme esperado, mais tarde naquele dia, o aplicativo foi rejeitado. Foi a desculpa mais triste e pobre para rejeitar um aplicativo que eu poderia imaginar: "Está faltando uma descrição do aplicativo". Funcionalidade perfeita; nenhuma descrição. E por esse motivo, a Gorila Mart não teve seu produto pronto para a Sexta-feira Negra. Eu estava muito aborrecido.

Havia sacrificado minha família por duas semanas e ninguém na Gorila se deu o trabalho de criar uma descrição para o aplicativo no prazo de uma semana. Eles deram a tarefa para nós uma hora após a rejeição; aparentemente, aquele era o sinal de que tinham que se mexer.

Se eu estava aborrecido antes, ficaria furioso após uma semana e meia. Veja, eles ainda não haviam nos fornecido dados reais. Os produtos e cupons no servidor eram falsos. Imaginários. O código do cupom era 1234567890. Sabe, bobagem falsa.

E chegou a manhã fatídica, na qual eu verifiquei o portal e O APLICATIVO ESTAVA DISPONÍVEL! Com dados falsos e tudo! Gritei de horror abjeto e liguei para quem pude berrando, "EU PRECISO DOS DADOS!" e a mulher do outro lado me perguntou se queria falar com os bombeiros ou com a polícia, então desliguei o 190. Então, telefonei para a Gorila Mart e foi assim, "PRECISO DOS DADOS!". E jamais esquecerei a resposta:

> Ei, oi John. Temos um novo VP e decidimos não lançar mais. Retire da Loja de Aplicativos, por favor.

No final, aconteceu que, pelo menos, 11 pessoas registraram seus e-mails no banco de dados, o que significa que havia 11 pessoas em potencial que poderiam ir a uma loja da Gorila Mart com um cupom falso de iPhone. Cara, isso poderia ter ficado feio.

Quando tudo acabou, o cliente havia dito uma coisa correta durante todo o percurso: o código era descartável. O único problema é que ele jamais foi lançado.

Resultado? Pressa para Completar, Lentidão para Comercializar

A lição dessa história é que seus stakeholders, sejam clientes externos, seja a administração interna, descobriram como fazer com que os desenvolvedores produzam códigos rapidamente. Efetivamente? Não. Rapidamente? Sim. Funciona da seguinte forma:

- **Diga ao desenvolvedor que o aplicativo é simples.** Isso serve para pressionar a equipe de desenvolvimento em direção a uma falsa estrutura mental. Também faz com que ela comece a trabalhar mais cedo, por meio da...

Continua

- **Adição de recursos ao culpar a equipe por não reconhecer suas necessidades.** Nesse caso, o conteúdo exigirá atualizações do aplicativo para ser alterado. Como eu não percebi isso? Eu percebi, mas havia recebido uma promessa falsa anteriormente, esse é o motivo. Ou então, o cliente contratará um "cara novo", que percebeu que havia uma omissão óbvia. Se Steve Jobs estivesse vivo, o cliente poderia lhe dizer que acabou de contratá-lo e perguntar se poderia adicionar alguma mágica ao aplicativo? Então, eles...
- **Empurram o prazo, repetidamente.** Os desenvolvedores trabalham mais rápido e duro (e BTW causa a maior parte de seus erros, mas quem se importa com isso, certo?), com alguns dias para cumprir o prazo. Por que dizer a eles que o prazo final pode ser estendido se eles estão sendo tão produtivos? Tire vantagem disso! E assim continua, alguns dias são adicionados, uma semana é adicionada; bem quando você já tinha trabalhado um turno de 20 horas para conseguir que tudo desse certo. É como um burro e uma cenoura, exceto que você não é tratado tão bem quanto um burro.

É um *playbook* brilhante. Você pode culpá-los por achar que funciona? Mas eles não enxergam o terrível código que é criado. E então, isso acontece todo o tempo, independentemente dos resultados.

Em uma economia globalizada, na qual as corporações estão presas ao todo-poderoso dólar, aumentar os preços das ações envolve demissões, equipes trabalhando acima da média e no exterior, essa estratégia de cortar os custos do desenvolvedor está tornando o bom código obsoleto. Como desenvolvedores, se não tomarmos cuidado, eles irão pedir/dizer/repetir que devemos entregar o dobro de códigos na metade do tempo.

CÓDIGO IMPOSSÍVEL

Na história, quando John pergunta, "O bom código é impossível?" ele está, na verdade, perguntando "Profissionalismo é impossível?". Afinal, não foi somente o código que sofreu na história disfuncional criada por John. Foi sua família, seu empregador, seu cliente e os usuários. *Todo mundo* perdeu[3] nessa aventura. Isso ocorreu devido à falta de profissionalismo.

Então, quem estava agindo de forma antiprofissional? John deixa claro que ele pensa que são os executivos da Gorila Mart, pois seu playbook era uma acusação

3. Com uma possível exceção para o empregador direto de Jonh, embora eu acredite que eles perderam também.

bastante clara do péssimo comportamento deles. Mas o comportamento deles *era* mau? Eu acho que não.

O pessoal da Gorila queria a opção de ter um aplicativo de iPhone na Sexta-feira Negra*. Estavam dispostos a pagar por essa opção. Encontraram alguém disposto a fornecer essa opção. Então, como você pode culpá-los?

Sim, é verdade, existiram algumas falhas de comunicação. Aparentemente, os executivos não sabiam o que era um serviço de rede e ocorreram todos os problemas corriqueiros quando parte de uma grande corporação não sabe o que a outra parte está fazendo. Mas tudo isso devia ter sido esperado. John até admite isso quando diz "Apesar dos anos de lembretes constantes de que cada recurso que um cliente pede será sempre mais complexo de ser escrito do que explicado...".

Então, se a culpa não era da Gorila Mart, então de quem era?

Talvez tenha sido do empregador direto de John. Ele não diz isso explicitamente, mas dá uma pista quando diz, "nos negócios, a importância do cliente é vital". Então, o empregador de John fez promessas pouco razoáveis à Gorila Mart? Eles colocaram pressão sobre John, direta ou indiretamente, a fim de que essas promessas se realizassem? John não diz isso, só podemos nos questionar.

Mesmo assim, onde está a responsabilidade de John nisso tudo? Eu coloco a culpa totalmente em John. Foi ele quem aceitou o prazo inicial de duas semanas, sabendo muito bem que projetos normalmente são mais complexos do que parecem. Foi ele quem aceitou a necessidade de escrever o servidor PHP. Ele aceitou, também, o registro de e-mails e a expiração do cupom. Foi ele quem trabalhou 20 horas por dia e 90 horas por semana. Foi ele quem se anulou da família e da própria vida para cumprir o prazo.

E por que John fez isso? Ele nos diz em termos incertos: "Apertei enviar, recostei na cadeira e, com um sorriso amarelo, comecei a fantasiar como a empresa me carregaria em seus ombros e faria uma procissão ao longo da Av. 42, enquanto eu era coroado como 'o maior desenvolvedor de todos os tempos' ".

Resumindo, John estava tentando ser herói. Viu sua chance para ser louvado e foi atrás dela. Ele se inclinou e agarrou a coroa.

* Nota do tradutor: dia que se segue ao Dia de Ação de Graças nos EUA e ocorre, em geral, entre 23 e 29 de novembro.

Profissionais geralmente são heróis, mas não porque eles tentam ser. Eles tornam-se heróis quando conseguem que um trabalho seja bem feito, dentro do prazo e do orçamento. Ao tentar se tornar o cara da vez, o salvador do dia, John não estava agindo como profissional.

Ele deveria ter dito não ao prazo original de duas semanas. Ou então, deveria ter dito não quando descobriu que não havia serviço de rede. Ou devia ter negado o pedido de registro de e-mail e da expiração do cupom. Deveria ter dito não a qualquer coisa que precisasse de um sacrifício horrível e demasiado.

Mas, acima de tudo, John devia ter dito não à sua decisão interna de que a única maneira de conseguir que aquele trabalho fosse feito a tempo seria criando aquela enorme bagunça. Repare no que John disse sobre os bons códigos e os testes de unidades:

"Para compensar o esforço adicional, o código terá que ser um pouco mais rápido. Esqueça aqueles fatores abstratos. Use um grande fator para fazer loop ao invés do composto, não há tempo!"

E novamente:

"Passei aqueles oito dias escrevendo o código incansavelmente. Usei todas as ferramentas disponíveis para conseguir: copiar e colar (o que significa reutilizar um código AKA); números mágicos (evitando a duplicação de constantes definidas e então, suspiro!, redigitá-las); e absolutamente NADA de testes de unidades (quem precisa de barras vermelhas em uma situação como essa; só me desmotivaria!)."

Dizer sim a essas decisões foi o verdadeiro ponto crucial do fracasso. John aceitou que a única maneira de ser bem-sucedido seria se comportando de forma antiprofissional, então ele colheu a recompensa apropriada.

Isso pode soar duro. Não é essa a intenção. Em capítulos anteriores, descrevi como cometi os mesmos erros em minha carreira, mais de uma vez. A tentação de ser herói e "resolver o problema" é enorme. O que todos temos que perceber é que dizer sim para deixar de lado as disciplinas profissionais *não* é o caminho para resolver problemas. Deixar essas disciplinas de lado é o caminho para criar problemas.

Com isso, posso finalmente responder à pergunta inicial de John:

"O código bom é impossível? O profissionalismo é impossível?"

Resposta: Eu digo *não*.

3 DIZENDO SIM

Você sabia que eu inventei o correio de voz? É sério. Na verdade éramos três que tínhamos a patente para o correio de voz. Ken Finder, Jerry Fitzpatrick e eu. Foi bem no começo da década de 1980 e trabalhávamos para uma empresa chamada Teradyne. Nosso CEO tinha nos encarregado de criar um novo produto e inventamos a "secretaria eletrônica", ou SE para encurtar.

Todos vocês conhecem a SE. É uma daquelas máquinas horríveis que atendem o telefone e fazem todo tipo de pergunta descabida, as quais você responde pressionando botões (para "inglês" aperte 1).

Nossa SE atendia o telefone para a empresa e pedia que você discasse o nome da pessoa com quem queria falar. Pedia que você pronunciasse seu nome e então ligava para a pessoa em questão. Ela anunciava a ligação e perguntava se esta deveria ser aceita. Se positivo, conectava a chamada e saía da linha.

Você podia dizer à SE onde estava. Podia dar diversos números de telefone para ela. Então, se estivesse no escritório de outra pessoa, ela poderia encontrá-lo. Se estivesse em casa, ela poderia encontrá-lo. Se estivesse em uma cidade diferente, ela poderia encontrá-lo. E, no final, se ela não pudesse encontrá-lo, deixava uma mensagem. Era aí que entrava o correio de voz.

Embora pareça estranho, a Teradyne não soube como vender a SE. O projeto ficou sem orçamento e foi transformado em algo que sabíamos como vender – CDS*, para despachar técnicos que consertavam telefones para seu próximo serviço. E a Teradyne também perdeu a patente sem nos dizer (!). O titular da patente atual a registrou três meses após nós (!!)[1].

Bem depois da mudança da SE para CDS, mas muito antes que eu soubesse que a patente havia sido perdida, esperei ao lado de uma árvore pelo CEO da empresa. Tínhamos um grande carvalho do lado de fora, na frente do prédio. Esperei que seu Jaguar estacionasse na porta. Fui de encontro a ele e pedi alguns minutos. Ele foi obrigado a me atender.

Disse-lhe que realmente tínhamos que recomeçar o projeto da SE. Disse também, que tinha certeza que podíamos fazer dinheiro. Ele me surpreendeu dizendo, "Ok Bob, prepare um plano. Mostre-me como posso fazer dinheiro. Se você fizer e eu acreditar, recomeçarei a SE".

Eu não esperava por aquilo. Esperava que ele dissesse sim, "Você está certo, Bob. Vou recomeçar o projeto e descobrir como ganhar dinheiro com isso". Mas não. Ele devolveu o fardo para mim. E era uma responsabilidade sobre a qual eu estava inseguro. Afinal, eu era um cara de software, não um cara do dinheiro. Queria

* Nota do Tradutor: Do inglês Craft Dispatch System, ou Sistema Inteligente de Envio.

1. Não que a patente valesse algum dinheiro para mim. Eu a tinha vendido para a Teradyne por U$ 1, por meu contrato de trabalho (e não recebi meu dólar).

trabalhar no projeto da SE, não ser responsável pelos ganhos e perdas. Mas não queria mostrar minha insegurança. Então o agradeci e saí de seu escritório com estas palavras:

"Obrigado, Russ. Eu me comprometo... Acho".

Dito isso, permita-me apresentá-lo a Roy Osherove, que lhe dirá o quanto essa frase foi patética.

UMA LINGUAGEM DE COMPROMETIMENTO

Por Roy Osherove

Diga. Seja honesto. Faça.

Há três partes em se comprometer.

1. Você diz que fará.
2. Você é honesto.
3. Você de fato o faz.

Mas com qual frequência encontramos pessoas (não nós mesmos, claro!) que nunca cumprem esses três estágios?

- **Você pergunta ao cara de TI** por que a rede está tão lenta e ele diz, "Sim. Realmente precisamos de novos roteadores". E você sabe que nada acontecerá nessa categoria.
- **Você pede ao membro da equipe** que rode alguns testes manuais antes de checar o código-fonte e ele responde: "Claro. Espero já ter feito isso até o final do dia". E de alguma maneira você sente que precisará perguntar no dia seguinte se algum teste foi realmente feito antes do check-in.
- **Seu chefe** entra na sala e resmunga, "temos que ser mais rápidos". E você sabe que o que ele quer dizer é que VOCÊ tem que ser mais rápido. *Ele* não vai fazer coisa alguma a respeito.

Há poucas pessoas que ao falarem algo, realmente estão sendo honestas e cumprem o prometido. Há algumas que dizem as coisas e são honestas, mas jamais as cumprem. E há muito mais pessoas que prometem as coisas e nem sequer estão sendo honestas.

Já ouviu alguém dizer, "Cara, eu realmente preciso perder peso", e você sabe que a pessoa não vai fazer coisa alguma a respeito? Acontece o tempo todo.

Por que continuamos tendo essa estranha sensação de que, na maior parte do tempo, as pessoas não estão realmente comprometidas com o cumprimento de algo?

Pior, normalmente nossa intuição pode falhar conosco. Às vezes, gostaríamos de acreditar que alguém, de fato, é honesto com o que diz, quando isso não é verdade. Gostaríamos de acreditar em um desenvolvedor quando ele diz, pressionado em um canto, que ele pode terminar aquela tarefa de duas semanas em apenas uma, quando na verdade não pode.

Ao invés de confiar em nossos instintos, podemos utilizar alguns truques relacionados à linguagem para testar as pessoas e perceber se elas realmente estão sendo honestas com o que dizem. E ao mudar o que dizemos, podemos começar a tomar conta dos passos 1 e 2 da lista anterior por conta própria. Quando dizemos que nos comprometeremos com algo, precisamos ser honestos.

Reconhecendo a Falta de Comprometimento

Devemos olhar para a linguagem que usamos quando nos comprometemos com algo como o sinal que denuncia as coisas que estão por vir. Na verdade, é mais uma questão de procurar palavras específicas no que dizemos. Se não puder encontrar aquelas pequenas palavras mágicas, as chances são de que não estejamos sendo honestos ou não acreditamos que seja viável.

Aqui vão alguns exemplos de palavras e frases para procurar que denunciam a falta de comprometimento:

- **Preciso/deveria.** "Precisamos fazer isso". "Preciso perder peso". "Alguém deveria fazer isso acontecer".
- **Espero/gostaria.** "Espero que isso esteja pronto amanhã". "Espero que possamos nos encontrar novamente algum dia". "Gostaria de ter tempo para isso". "Gostaria que esse computador fosse mais rápido".
- **Vamos.** "Vamos encontrar alguém". "Vamos terminar essa coisa".

Quando você começa a procurar essas palavras, verá que elas estão em todos os lugares ao seu redor, e até mesmo em coisas que você diz aos outros.

Perceberá que tendemos a não assumir responsabilidade sobre as coisas com frequência.

E isso *não é* bom quando você ou alguma outra pessoa confia naquelas promessas como sendo parte do trabalho. Entretanto, você deu o primeiro passo – começar a reconhecer a falta de comprometimento ao seu redor e em si.

Vimos como a falta de comprometimento se apresenta. Como reconhecemos o verdadeiro compromisso?

Como Soa o Comprometimento?

O que há de comum nas frases da seção anterior é que ou elas assumem que as coisas estão fora de "minhas" mãos ou não se responsabilizam pessoalmente. Em cada um desses casos, as pessoas se comportam como se fossem vítimas de uma situação, em vez de controlá-la.

A verdade é que *você, pessoalmente*, SEMPRE tem algo sob seu controle, então sempre há algo com o qual que você pode se comprometer em fazer.

O ingrediente secreto em reconhecer o comprometimento real é procurar frases que soem assim: Eu irei... na... (exemplo: Eu irei terminar isso na terça-feira).

O que essa frase tem de importante? *Você está estabelecendo um fato sobre algo que VOCÊ fará dentro de um prazo claro.* Não está falando de mais alguém, só de si próprio. Está falando de uma *ação* que *irá* tomar. Não irá "possivelmente" tomar, "talvez a faça"; você irá cumpri-la.

Não existe (tecnicamente) saída desse compromisso verbal. Você disse que irá fazê-lo e agora somente um resultado binário é possível – ou você faz, ou não. Se não fizer, as pessoas podem lembrá-lo de suas promessas. Irá sentir-se *mal* por não ter feito. Se sentirá *constrangido* ao dizer a alguém que não o fez (especialmente se essa pessoa escutou-o prometendo).

Assustador, não é?

Você está assumindo plena responsabilidade por algo em frente a um público de pelo menos uma pessoa. Não se trata de estar na frente do espelho ou da tela do computador. É você, encarando outro ser humano e dizendo que fará. Esse é o início do comprometimento. Colocar-se em uma situação que o força a fazer algo.

Você mudou a linguagem que usa para uma linguagem de compromisso e isso irá ajudá-lo a passar para os dois estágios seguintes: ser honesto e seguir em frente.

Aqui vai uma série de motivos pelos quais você pode não ser honesto ou não seguir em frente, com algumas soluções.

Não funcionaria por que eu dependo da pessoa X para fazer isso

Você só pode se comprometer com coisas sobre as quais têm *pleno* controle. Por exemplo, se sua meta for terminar um módulo que depende também de outra equipe, não pode se comprometer com o término dele com integração total. Mas *pode* se comprometer com ações específicas que irão levá-lo ao seu objetivo. Você pode:

- Sentar-se com Gary, da equipe de infraestrutura, por uma hora para entender as dependências nas quais você trabalhará.
- Criar uma interface que abstrai a dependência de seu módulo da infraestrutura da outra equipe.
- Se reunir ao menos três vezes por semana com o cara da arquitetura para garantir que as mudanças feitas por você funcionem bem no sistema da empresa.
- Criar sua própria arquitetura pessoal que executa testes de integridade pelo módulo.

Vê a diferença?

Se a meta final depender de mais alguém, você deve se comprometer com ações específicas que o levem mais próximo do objetivo final.

Não funcionaria por que eu não sei de fato se isso pode ser feito

Se não puder ser feito, ainda é possível se comprometer com ações que o trarão mais próximo do alvo. Descobrir se algo pode ser feito é uma das ações que leva ao comprometimento.

Em vez de se comprometer em arrumar todos os 25 bugs que restam antes do lançamento (o que pode não ser possível), você pode se comprometer com ações específicas que o levem mais próximo da sua meta:

- Repasse os 25 bugs e tente recriá-los.

- Sente-se com a GQ que encontrou cada bug para ver uma reprodução deles.
- Use todo o seu tempo tentando reparar defeito por defeito.

Não funcionaria porque, às vezes, eu simplesmente não conseguirei

Isso acontece. Algo inesperado pode ocorrer e a vida é assim. Mas você ainda quer fazer jus às expectativas. Nesse caso, é hora de mudar as expectativas, *o mais rápido possível.*

Se você não pode alcançar o que prometeu, a coisa mais importante é levantar uma bandeira vermelha para a pessoa com quem se comprometeu.

Quanto antes levantá-la para todos os acionistas, mais provável será que eles deem tempo para que a equipe pare, reavalie as ações tomadas e decida se algo pode ser feito ou mudado (em termos de prioridades, por exemplo). Ao fazer isso, seu comprometimento ainda pode ser cumprido, ou você pode alterá-lo.

Alguns exemplos são:

- Se você marcou uma reunião para o meio-dia em uma cafeteria no centro da cidade com um colega e fica preso no tráfego, você duvida que será capaz de chegar ao seu compromisso no horário. Você deve ligar para seu colega o mais rápido que puder e dizer que pode se atrasar. Talvez vocês possam encontrar um lugar mais próximo para se reunirem ou adiar a reunião.
- Se você se comprometeu em resolver um bug que achou que era solucionável e percebeu, a certa altura, que o defeito é muito mais complexo do que pensara anteriormente, pode levantar a bandeira. A equipe poderá decidir então o curso de ação a ser tomado para cumprir aquele compromisso (trabalhando em duplas, estudando possíveis soluções, fazendo brainstorming) ou mudar a prioridade, e movê-lo para outro bug mais simples.

Uma questão importante aqui é: se você não falar do seu problema potencial com ninguém o mais breve possível, não estará dando a ninguém a chance de ajudá-lo a superá-lo.

Resumo

Criar uma linguagem de comprometimento pode soar um pouco assustador, mas pode ajudar a resolver muitos dos problemas de comunicação que os programadores enfrentam atualmente – estimativas, prazos e acidentes na comunicação cara a cara. Você será encarado como um desenvolvedor sério que cumpre com a palavra, e isso é uma das melhores coisas que pode esperar nessa indústria.

~~~

Aprendendo Como Dizer "Sim"

Pedi que Roy contribuísse com seu artigo, pois me despertou para algo importante. Tenho pregado sobre como aprender a dizer não já há algum tempo. Mas tão importante quanto isso, é aprender a dizer sim.

O Outro Lado de "Tentar"

Vamos imaginar que Peter seja responsável por algumas modificações no mecanismo de avaliação. Ele estimou anteriormente que essas modificações levariam de quatro a seis dias. Ele também acha que escrever a documentação para as modificações levará algumas horas. Na segunda-feira de manhã sua gerente, Marge, pergunta o status para ele:

Marge: Peter, você vai estar com os módulos do mecanismo de avaliação prontos até sexta-feira?

Peter: Acho que é possível.

Marge: Isso incluirá a documentação?

Peter: Vou tentar aprontar o mais rápido que puder.

Talvez Marge não consiga escutar o estremecimento nas frases de Peter, mas com certeza ele não está se comprometendo muito. Ela está fazendo perguntas que exigem respostas precisas, mas as respostas de Peter são vagas.

Note o abuso da palavra tentar. No último capítulo, usamos a definição de "esforço adicional" como definição para tentar. Aqui, Peter está usando a definição "talvez, talvez não".

Seria melhor se ele respondesse assim:
~~~

Marge: Peter, você vai estar com os módulos do mecanismo de avaliação prontos até sexta-feira?

Peter: Provavelmente, mas pode ser na segunda-feira.

Marge: Isso incluirá a documentação?

Peter: A documentação levará algumas horas a mais, então segunda-feira é possível, mas pode ser na terça-feira.

Nesse caso, a linguagem de Peter é mais honesta. Ele está descrevendo sua própria incerteza para Marge. Ela pode ser capaz de lidar com essa incerteza ou não.

COMPROMETIMENTO COM DISCIPLINA

Marge: Peter, eu preciso de um sim ou não definitivo. Você vai estar com os módulos do mecanismo de avaliação prontos até sexta-feira?

Essa é uma pergunta perfeitamente justa. Marge tem um calendário a cumprir e precisa de uma resposta binária sobre a sexta-feira. Como Peter deve responder?

Peter: Nesse caso, Marge, terei que dizer não. O mais cedo que posso *garantir* que os módulos e documentos estarão prontos é na terça-feira.

Marge: Você está se comprometendo com a terça-feira?

Peter: Sim. Eles vão estar prontos na terça-feira.

Mas e se Marge realmente precisar das modificações e da documentação prontas até sexta-feira?

Marge: Peter, terça-feira é um problema. Willy, nosso programador de tecnologia, estará disponível na segunda-feira. Ele tem cinco dias para terminar o guia do usuário. Se eu não tiver os documentos de avaliação na segunda-feira pela manhã, ele nunca conseguirá terminar o manual a tempo. Você pode fazer os documentos primeiro?

Peter: Não, os módulos têm que vir antes, porque geramos os documentos a partir do output dos testes feitos.

Marge: Bem, não existe alguma maneira de terminar os módulos e documentos antes de segunda-feira de manhã?

Agora Peter tem que tomar uma decisão. Há uma boa chance que ele termine com as modificações do mecanismo de avaliação na sexta-feira, e ele pode até ser capaz de terminar os documentos antes do final de semana. Ele *poderia* fazer algumas horas no sábado também se as coisas levarem mais do que ele espera. Então o que deve dizer a Marge?

Peter: Olhe, Marge, tem uma boa chance de que eu consiga terminar tudo até segunda-feira pela manhã se fizer algumas horas extras no sábado.

Isso resolve o problema de Marge? Não, apenas muda as chances, e é isso que Peter precisa dizer a ela:

Marge: Posso contar com a segunda-feira de manhã então?

Peter: Provavelmente, mas não definitivamente.

Isso pode não ser o bastante para Marge:

Marge: Peter, realmente preciso de uma definição nisso aqui. Existe *alguma* maneira de você se comprometer a entregar isso até segunda-feira de manhã?

Peter pode se sentir tentado em quebrar a disciplina a essa altura. Ele pode ser capaz de terminar mais rápido se não escrever os testes. Pode conseguir fazer mais rápido se não refatorar. Ou então se não rodar um teste de regressão completo.

Aqui é onde o profissional cruza a linha. Em primeiro lugar, Peter está simplesmente errado em suas suposições. Ele não será mais rápido se não escrever os testes, se não refatorar ou se omitir o teste de regressão completo. Anos de experiência nos ensinaram que quebrar as disciplinas apenas nos atrasa mais.

Em segundo lugar, como profissional ele tem a responsabilidade de manter certos padrões. Seu código precisa ser testado. Precisa ser limpo. E ele precisa ter certeza de que não quebrou mais nada dentro do sistema.

Peter, como um profissional, já se comprometeu em manter esses padrões. Todos os demais compromissos que fizer devem estar subordinados a esse. Então toda esta linha de raciocínio precisa ser eliminada.

Peter: Não, Marge, não tenho como dar certeza de qualquer data que não seja terça-feira. Sinto muito se isso bagunça seu planejamento, mas trata-se apenas da realidade que estamos encarando.

Marge: Droga. Eu estava realmente contando em conseguir isso antes. Você tem certeza?

Peter: Certeza de que terça-feira é o limite, sim.

Marge: Ok, acho que vou falar com Willy para ver se ele pode reorganizar sua agenda.

Nesse caso, Marge aceitou a resposta de Peter e começou a buscar novas opções. Mas e se as opções dela tiverem sido exauridas? E se Peter fosse a última esperança?

Marge: Peter, olha, sei que isso é uma imposição enorme, mas realmente preciso que você encontre uma forma de fazer isso até segunda-feira de manhã. É realmente crítico. Não há nada que possa fazer de verdade?

Então, agora, Peter começará a pensar em trabalhar algumas horas extras realmente significativas, e provavelmente durante a maior parte do final de semana. Ele precisa ser bastante honesto consigo mesmo com relação ao seu vigor e reservas. É fácil *dizer* que você conseguirá fazer as coisas no final de semana, mas é bastante difícil reunir energia suficiente para obter um trabalho de alta qualidade. Profissionais sabem qual é seu limite. Sabem o quanto de horas extras podem fazer e qual será o custo disso.

Nesse caso, Peter sente-se bem confiante de que algumas horas extras durante a semana e um pouco de tempo no final de semana serão suficientes:

Peter: Ok, Marge, vou dizer o seguinte. Vou ligar para casa e dizer a minha família que terei que abrir mão de um pouco de tempo com eles. Se para eles estiver tudo bem, então conseguirei que esta tarefa esteja pronta até segunda-feira de manhã. Inclusive, virei na segunda-feira para ver se tudo vai correr bem com Willy. Mas então vou para casa e só voltarei na quarta-feira. Fechado?

Isso é perfeitamente justo. Peter sabe que terá as modificações e a documentação feitas se ele próprio fizer hora extra. Também sabe que ele estará acabado durante alguns dias após isso.

CONCLUSÃO

Não se espera que profissionais digam sim para tudo o que se pede a eles. Entretanto, eles precisam trabalhar firme para encontrar formas criativas de tornar o "sim" possível. Quando profissionais dizem sim, eles usam a linguagem do comprometimento de forma que não exista dúvida daquilo que prometeram.

4 Codificando

No livro anterior[1], escrevi bastante sobre a estrutura e natureza do Código Limpo. Este capítulo discute o *ato* de codificar e o contexto que cerca esse ato.

Quando tinha 18 anos, podia digitar razoavelmente bem, mas precisava olhar para as teclas. Não conseguia digitar sem ver. Então, certa noite, fiquei algumas horas teclando em um IBM 029, e me recusando a olhar para meus dedos conforme digitava um programa que havia escrito em diversas formas de codificação. Examinei cada cartão após a digitação e descartei aqueles que continham erro.

1. (Martin09)

No começo, digitei alguns com erros. No final da noite, estava digitando todos quase com perfeição. Percebi durante aquela longa noite que digitar sem olhar tem tudo a ver com *confiança*. Meus dedos sabiam onde ficavam as teclas, apenas tinha que ganhar a confiança de que não estava cometendo erros. Uma das coisas que ajudou nisso é que eu podia sentir quando estava cometendo um erro, pois sabia quase que instantaneamente, e simplesmente ejetava o cartão sem olhar para ele.

Ser capaz de sentir os erros é realmente importante. Não só ao digitar, mas com todas as coisas. Ter um senso de erro significa que você rapidamente fecha o loop de feedback e aprende com seus erros mais rapidamente. Estudei e dominei diversas disciplinas desde o dia do IBM 029. Descobri que, em cada caso, a chave para o domínio é a confiança e o senso de erro.

Este capítulo descreve meu conjunto pessoal de regras e princípios para codificar. Não se trata do meu código em si; tem a ver com meu comportamento, modo de ser e atitude enquanto estou escrevendo o código. Eles descrevem meu contexto mental, moral e emocional ao escrever. São as raízes de minha confiança e senso de erro.

É provável que você não concorde com tudo o que digo aqui. Afinal, isso é algo profundamente pessoal. Na verdade, pode ser que você discorde totalmente de algumas de minhas atitudes e princípios. Tudo bem, elas não devem ser verdades absolutas para ninguém além de mim. O que elas são é a abordagem de um homem para ser codificador profissional.

Talvez pelo estudo e contemplação de meu próprio código pessoal você possa aprender qual deve ser o seu.

Preparação

Codificar é um desafio intelectual e uma atividade exaustiva. Requer um nível de concentração e foco que pouquíssimas outras disciplinas exigem. O motivo para isso é que codificar requer que você lide com muitos fatores competitivos de uma só vez.

1. Primeiro, seu código precisa funcionar. Você tem que entender qual problema está resolvendo e como resolvê-lo. Precisa assegurar que o código que escreve é uma representação fiel daquela solução. Precisa gerenciar cada detalhe da solução enquanto permanece consistente com a linguagem, plataforma, arquitetura atual e todas as peculiaridades daquele sistema.

2. Seu código precisa resolver o problema proposto por seu cliente. Com frequência, os pedidos do cliente não resolvem seus problemas. Cabe a você ver isso e negociar com o cliente a fim de garantir que as necessidades dele sejam atendidas.

3. Seu código precisa se enquadrar bem no sistema que já existe. Ele não pode aumentar a rigidez, fragilidade ou opacidade do sistema. As dependências têm que ser bem gerenciadas. Ou seja, seu código precisa seguir sólidos princípios de engenharia[2].

4. Seu código precisa ser inteligível para outros programadores. Isso não é apenas uma questão de escrever comentários agradáveis. Mas sim, exige que você crie o código de maneira que ele revele quais foram suas intenções. Isso é algo difícil de ser feito. De fato, pode ser a coisa mais difícil para um programador dominar.

Equilibrar todas essas preocupações é difícil. É fisiologicamente complicado manter a concentração necessária e o foco por longos períodos. Some a isso os problemas e distrações de trabalhar em equipe, em uma organização e as necessidades e preocupações da vida diária. A questão fundamental é que as chances de se distrair são altas.

Quando você não consegue se concentrar e focar o suficiente, o código que escreverá estará errado. Ele terá bugs. Terá a estrutura errada. Será opaco e torcido. Não suprirá os verdadeiros problemas do cliente. No final, terá que ser refeito ou retrabalhado. Trabalhar quando se está desconcentrado gera desperdício.

Se você estiver cansado ou desconcentrado, *não codifique*. Você só vai acabar tendo que refazer o trabalho. Em vez disso, encontre uma maneira de eliminar os assuntos que ocupam sua mente.

Codificar às 3 da Manhã

O pior código que já escrevi foi às 3 da manhã. O ano era 1988 e eu trabalhava para uma empresa nova de comunicações chamada Clear Communications. Estávamos todos trabalhando acima do previsto para obter "participação nos lucros". Todos, claro, sonhávamos em ficar ricos.

2. (Martin03)

Muito tarde da noite – ou melhor, bem cedo em uma manhã, a fim de resolver um problema temporal – fiz com que meu código enviasse uma mensagem para si próprio por meio do sistema de envios (chamávamos isso de "envio de correspondência"). Essa era a solução *errada*, mas às 3 da manhã ela parecia muito boa. De fato, após 18 horas de codificação sólida (sem mencionar as 60-70 horas semanais) foi *tudo* o que consegui pensar.

Lembro-me de ter me sentido muito bem comigo mesmo por causa das várias horas que estive trabalhando. Lembro-me de ter sentido que era *dedicado*. Lembro-me de ter pensado que trabalhar até às 3 da manhã é o que profissionais sérios têm que fazer. Como estava errado!

Aquele código voltou a nos atazanar muitas vezes. Eu instituí uma estrutura de design defeituosa que todos podiam usar, porém precisavam trabalhar nela consistentemente. Entramos em loops infinitos de correspondência ao que uma mensagem fazia com que outra fosse enviada, e depois outra, indefinidamente. Nunca tínhamos tempo para reescrever essa função (era o que pensávamos), mas sempre parecíamos ter tempo para adicionar outro recurso ou caminho para trabalhar. O problema continuou aumentando, cercando aquele código das 3 da manhã com mais bagagem e efeitos colaterais. Anos depois, ele havia se tornado uma piada interna. Sempre que eu estava cansado ou frustrado, o pessoal dizia, "Cuidado! Bob está para enviar um e-mail para si próprio!".

A moral dessa história é: não escreva códigos quando você estiver cansado. Dedicação e profissionalismo têm mais a ver com disciplina do que com horas. Certifique-se de que seu sono, saúde e estilo de vida estejam afinados, de forma que consiga fazer *bom* uso daquelas oito horas diárias.

Codificar Preocupado

Você já entrou em uma boa briga com sua esposa ou um amigo e depois tentou codificar? Notou que havia um processo de "background" correndo em sua mente, tentando se resolver ou ao menos rever a briga? Às vezes, você pode sentir o estresse desse processo no peito ou no fundo do estômago. Ele pode deixá-lo ansioso, igual quando você toma café ou coca diet demais. É uma distração.

Quando estou preocupado por causa de uma discussão com minha esposa ou uma crise com um cliente, ou um filho doente, não consigo manter o foco. Minha concentração vacila. Fico com os olhos na tela e os dedos no teclado sem fazerem nada. Catatônico. Paralisado. Milhas e milhas de distância, pensando em resolver o problema em minha cabeça, em vez de resolver de fato o problema do código que está a minha frente.

Às vezes me forço a *pensar* no código. Posso escrever uma linha ou duas. Posso me forçar a executar um ou dois testes. Mas não consigo manter a constância. Encontro-me descendo por uma insensibilidade estupefata, vendo nada diante dos meus olhos, agitado interiormente pela preocupação em minha mente.

Aprendi que essa não é a hora de codificar. Qualquer código que eu produzir será um lixo. Então, em vez de fazê-lo, prefiro resolver minha preocupação.

Claro, há várias preocupações que não podem simplesmente ser resolvidas em uma ou duas hora. Além disso, os empregadores provavelmente não tolerarão nossa inabilidade de trabalhar enquanto resolvemos problemas pessoais. O truque é aprender a como fechar o processo em sua mente ou, ao menos, reduzir sua prioridade, de forma que seja uma preocupação contínua.

Eu faço isso dividindo meu tempo. Em vez de me forçar a codificar enquanto a preocupação está me incomodando, passo um bom tempo, talvez uma hora, trabalhando no assunto que está gerando a preocupação. Se meu filho está doente, telefono para casa para saber notícias. Se discuti com minha esposa, ligo para ela para conversar sobre os problemas. Se estou com dificuldades financeiras, passo um tempo pensando em como lidar com elas. Sei que não poderei resolver os problemas nessa hora, mas é bem provável que possa reduzir a ansiedade e aquietar aquele processo em minha mente.

O ideal é que o tempo usado para lutar contra problemas pessoais seja o tempo pessoal. Seria uma vergonha desperdiçar uma hora no escritório dessa forma. Desenvolvedores profissionais alocam seu tempo pessoal a fim de garantir que o tempo gasto no escritório seja o mais produtivo possível. Isso significa que você deve, especificamente, separar algum tempo em casa para combater suas ansiedades, de forma a não levá-las para o trabalho.

Por outro lado, se você estiver no escritório e as ansiedades estiverem atrapalhando sua produtividade, então é melhor usar uma hora para aquietá-las do que imprimir força bruta para escrever um código que simplesmente terá que jogar fora mais tarde (ou pior, viver com ele).

A Zona de Fluxo

Muito foi escrito sobre o estado de hiperprodução conhecido como "fluxo". Alguns programadores o chamam de "Zona". Seja como for, você provavelmente sabe do que se trata. Ele é um estado de consciência altamente focado, no qual os programadores podem entrar enquanto escrevem um código. Nesse estado, eles se sentem *produtivos*. Sentem que são infalíveis. Querem chegar até ele e, com frequência, medem seu valor pela quantidade de tempo que conseguem permanecer lá.

Aqui vai uma pequena dica de alguém que já esteve lá e voltou: *evite a Zona*. Esse estado de consciência não é de fato hiperprodutivo e certamente não é infalível. Trata-se apenas de um estado levemente meditativo, no qual certas faculdades racionais diminuem em favor de um senso de velocidade.

Deixe-me ser claro sobre isso. Você *escreverá* mais códigos na Zona. Se estiver praticando TDD, passará pelo loop verde/vermelho/refatoração mais rapidamente. E sentirá uma leve euforia ou um senso de conquista. O problema é que você perde o quadro geral quando está na Zona, então é provável que tome decisões que posteriormente terá que voltar e reverter. Códigos escritos na Zona com frequência saem mais rápidos, mas você precisará revisitá-los futuramente.

Hoje em dia, quando pressinto que estou escorregando para a Zona, dou uma volta de alguns minutos ou limpo minha cabeça, respondendo e-mails ou olhando tweets. Se já está perto da hora do almoço, faço uma pausa. Se estiver trabalhando com uma equipe, vou procurar um parceiro.

Um dos grandes benefícios da programação em par é que é virtualmente impossível que o par entre na Zona. Ela é um estado incomunicável, enquanto que trabalho em dupla exige comunicação intensa e constante. De fato, uma das queixas que recebo com frequência sobre o trabalho em grupo é que ele bloqueia a entrada na Zona. Bom! Esse não é o lugar onde você quer estar.

Bem, isso não é totalmente verdade. Há ocasiões em que a Zona é exatamente onde você quer estar. Quando você está *praticando*. Mas vamos falar sobre isso em outro capítulo.

Música

Na Teradyne, no final dos anos 1970, eu tinha um escritório privado. Eu era o administrador de sistemas de nosso PDP 11/60, então era um dos poucos programadores que podia ter um terminal privado. O terminal era um VT100, funcionando com 9600-baud e conectado ao PDP 11 por um cabo RS232 de 80 pés, que eu tinha passado pelo forro de minha sala até a sala de computadores.

Eu tinha um aparelho de som em meu escritório. Era um antigo toca-discos, amplificado, com alto-falantes de chão. Tinha uma coleção significativa de vinis, incluindo Led Zeppelin, Pink Floyd e... Bom, você entendeu.

Costumava ligar o som e escrever códigos. Achava que ajudava em minha concentração. Mas estava errado.

Um dia voltei a mexer em um módulo que tinha editado enquanto escutava a sequência de abertura de *The Wall*. Os comentários naquele código continham letras do disco e notas editoriais sobre bombas caindo e bebês chorando.

Foi quando percebi. Como leitor do código, estava aprendendo mais sobre a coleção de músicas do autor (eu) do que sobre o problema que o código estava tentando resolver.

Percebi que simplesmente não codificava bem quando escutava música. Ela não ajudava em meu foco. Na verdade, o ato de escutar música parece consumir parte do recurso vital que minha mente precisa para escrever um código limpo e com bom design.

Talvez seja diferente para você. Talvez a música o ajude a escrever. Conheço diversas pessoas que codificam enquanto usam fones de ouvido. Aceito que a música possa ajudá-los, mas também suspeito de que o que realmente está acontecendo é que a música os está ajudando a entrar na Zona.

Interrupções

Visualize a si próprio como se estivesse codificando em seu posto de trabalho. Como responde quando alguém lhe faz uma pergunta? Você se estoura com ela? Você dá um olhar penetrante? Sua linguagem corporal diz para ela ir embora porque você está ocupado? Você é ríspido? Ou você para o que está fazendo e educadamente ajuda a pessoa? Você trata os outros como gostaria de ser tratado, caso precisasse de ajuda?

A resposta "ríspido" normalmente vem da Zona. Você pode se ressentir por ser arrastado para fora dela ou por alguém interferir em suas tentativas de entrada. De qualquer modo, a rispidez normalmente vem de seu relacionamento com ela.

Às vezes, entretanto, a culpa não é da Zona, é só que você está tentando entender algo complicado que exige concentração. Há várias soluções para isso.

Trabalhar em par pode ser bem útil para lidar com interrupções. Seu parceiro pode manter o contexto do problema, enquanto você lida com uma chamada telefônica ou uma dúvida de um colega de trabalho. Quando volta para sua rotina em dupla, seu parceiro rapidamente pode ajudá-lo a reconstruir o contexto mental que tinha antes de ser interrompido.

TDD é outra grande ajuda. Se você tiver um teste defeituoso, aquele teste conserva o contexto de onde você está. É possível retornar a ele após uma interrupção e continuar a trabalhar em cima do defeito.

No final, *haverá interrupções* que irão distraí-lo e fazer com que perca tempo. Quando elas acontecerem, lembre-se de que da próxima vez você poderá ser aquele a interromper outra pessoa. Então, a atitude profissional é uma disposição educada para oferecer auxílio.

O Bloqueio do Programador

Às vezes, o código simplesmente não vem. Isso já aconteceu comigo e vi acontecer com outros. Você senta-se em seu posto de trabalho e nada acontece.

Normalmente, encontra outro trabalho para fazer. Lê seus e-mails. Lê os tweets. Dá uma olhada em livros, agendas ou documentos. Comparece às reuniões. Conversa com as outras pessoas. Faz *todo o tipo de coisa,* de forma a não precisar encarar aquele posto de trabalho e ver o código se recusando a aparecer.

O que causa esses bloqueios? Já falamos muito sobre vários desses fatores. Para mim, outro fator principal é o sono. Se você não estiver dormindo o suficiente, simplesmente não conseguirá codificar. Outros fatores são preocupação, medo e depressão.

Apesar de estranha, há uma solução bem simples. Funciona quase sempre. É fácil de fazer e pode lhe dar o *momentum* para obter vários códigos.

A solução: Encontre um parceiro.

É fabuloso o quanto isso funciona bem. Assim que você se senta próximo a alguém, os problemas que o estavam bloqueando desaparecem. Há uma mudança *fisiológica* que ocorre quando você trabalha com outra pessoa. Não sei o que é, mas posso definitivamente senti-la. Há um tipo de alteração química no cérebro que quebra o bloqueio e faz com que eu siga em frente.

Essa não é uma solução perfeita. Às vezes, a mudança dura uma ou duas horas, somente para ser seguida por uma exaustão tão severa que preciso me separar do meu parceiro e procurar algum buraco para me recuperar. Às vezes, mesmo quando me sento com alguém, não consigo fazer mais do que apenas concordar com o que aquela pessoa está fazendo. Mas para mim, a típica reação ao trabalho em dupla é uma recuperação de meu *momentum*.

Input Criativo

Há outras coisas que faço para evitar o bloqueio. Aprendi há bastante tempo que output criativo depende de input criativo.

Eu leio muito e leio todo tipo de material. Sobre software, política, biologia, astronomia, física, química, matemática e muito mais. Entretanto, acho que a coisa que melhor promove o estouro do output criativo é ficção científica.

Para você pode ser algo diferente. Talvez algum bom livro de suspense ou poesia, ou até mesmo um romance. Acho que o que realmente importa é que a criatividade gera criatividade. Também há um elemento de escapismo. As horas que passo longe de meus problemas usuais, ao mesmo tempo em que estou sendo ativamente estimulado ao desafiar minhas ideias criativas, resultam em uma pressão quase irresistível de criar alguma coisa por conta própria.

Nem todas as formas de input criativo funcionam para mim. Assistir TV normalmente não me ajuda a criar. Ir ao cinema é melhor, mas só um pouquinho. Escutar música não me ajuda a criar códigos, mas me ajuda a criar apresentações, palestras e vídeos. De todas as formas de input criativo, nada funciona melhor do que o bom e velho romance espacial.

DEPURAÇÃO

Uma das piores sessões de depuração de minha carreira ocorreu em 1972. Os terminais conectados ao sistema de contabilidade da Teamster costumavam parar de funcionar uma ou duas vezes por dia. Não havia como forçar isso a acontecer. O erro não tinha preferência por qualquer terminal ou aplicativo em particular. Não fazia diferença sobre o que o usuário estava fazendo antes do travamento. Em um minuto, o terminal estava funcionando bem, no seguinte, estava parado.

Levou duas semanas para diagnosticar o problema. Enquanto isso, a Teamster ficava mais e mais aborrecida. Toda vez que havia um travamento, quem estava no terminal tinha que parar de trabalhar e esperar até que eles conseguissem coordenar todos os demais usuários para terminarem suas tarefas. Então, eles nos telefonavam e reiniciávamos. Era um pesadelo.

Passamos as primeiras semanas somente juntando dados ao entrevistar pessoas que experimentaram os travamentos. Perguntamos o que estavam fazendo e o que tinham feito antes. Perguntamos a outros usuários se notaram algo de diferente nos *seus* terminais na hora em que eles travavam. Essas entrevistas eram todas feitas por telefone porque os terminais estavam no centro de Chicago, enquanto trabalhávamos à distância de 30 milhas ao norte nos milharais.

Não tínhamos registros, contadores, nem depuradores. Nosso único acesso aos internos do sistema eram luzes e interruptores no painel frontal. Podíamos parar o computador e, então, buscar na memória uma palavra por vez. Mas não podíamos fazer isso por mais de cinco minutos porque a Teamster precisava do backup de seu sistema.

Passamos alguns dias escrevendo um simples inspetor em tempo real que podia operar a partir do teletipo ASR-33, que servia como nosso console. Com isso, podíamos espiar e bisbilhotar na memória enquanto o sistema estava rodando. Adicionamos mensagens de log que eram impressas nos teletipos em momentos importantes. Criamos contadores de memória que contabilizavam os eventos e memorizavam o histórico para que pudéssemos inspecionar. E, claro, tudo isso tinha que ser escrito desde o rascunho, montado e testado à noite, quando o sistema estava fora de uso.

Os terminais eram acionados por interrupções. Os caracteres enviados para os terminais eram mantidos em buffers circulares. Toda vez que uma porta serial terminava de enviar um caractere, uma interrupção era disparada e o caractere seguinte no buffer circular seria apontado e enviado.

Descobrimos finalmente que, quando um terminal travava era porque as três variáveis que gerenciavam o buffer circular estavam fora de sincronia. Não tínhamos ideia do porquê que isso acontecia, mas ao menos tínhamos uma pista. Em algum ponto no código supervisor de 5 KSLOC havia um defeito que extraviava um daqueles ponteiros.

Esse novo conhecimento também nos permitia destravar os terminais manualmente! Podíamos inferir valores padrão naquelas três variáveis usando o inspetor, e os terminais voltavam a funcionar magicamente. No final, escrevemos uma pequena abertura que passava por todos os contadores para ver se eles estavam desalinhados e repará-los. No começo, ligávamos essa abertura ao acionar um interruptor no painel frontal sempre que nos telefonavam para reportar um travamento. Depois, simplesmente rodávamos o utilitário de reparo uma vez por segundo.

Mais ou menos um mês depois, o assunto dos travamentos estava morto, pelo menos no que dizia respeito à Teamster. Ocasionalmente, um dos terminais fazia uma pausa por meio segundo ou algo assim, mas com uma média de 30 caracteres por segundo, ninguém parecia notar.

Mas por que os contadores se desalinhavam? Eu tinha dezenove anos e estava determinado a descobrir.

O código de supervisão foi escrito por Richard, que havia ido para a faculdade. Nenhum de nós conhecia o código, porque Richard havia sido muito possessivo com ele. Aquele código era *dele*, e não tínhamos permissão para conhecê-lo. Mas agora, Richard tinha ido embora, então apanhei a grossa lista de várias polegadas e comecei a revê-la página por página.

As filas circulares naquele sistema eram apenas estruturas de dados FIFO, ou seja, filas. Programas de aplicativos empurravam caracteres em uma extremidade da fila até que essa ficasse cheia. As cabeças de interrupção tiravam os caracteres da outra extremidade da fila quando a impressora estava pronta para eles. Quando a fila ficava vazia, a impressora parava. Nosso bug fez com que os aplicativos pensassem que a fila estava cheia, mas fez, também, com que as cabeças de interrupções achassem que ela estava vazia.

Cabeças de interrupção funcionam em uma "linha" diferente dos outros códigos. Então, contadores e variáveis que são manipulados por ambos, cabeças de interrupção e outros códigos, precisam ser protegidos da atualização concomitante. Em nosso caso, isso significava desligar as interrupções em torno de qualquer código que manipulasse aquelas três variáveis. Na hora que me sentei com aquele código, sabia que procurava por algum lugar nele que tocava as variáveis, mas sem desarmar as interrupções antes.

Nos dias de hoje, claro, teríamos uma grande quantidade de ferramentas poderosas à nossa disposição para encontrar todos os lugares onde o código tocava essas variáveis. Em segundos, saberíamos cada linha do código que as tocava. Em minutos, saberíamos quais não desarmavam as interrupções. Mas isso foi em 1972 e eu não tinha ferramentas assim. Só o que tinha eram os meus olhos.

Eu examinei cada página daquele código procurando pelas variáveis. Infelizmente, elas eram usadas em *todos os lugares*. Praticamente, toda página as tocava de uma maneira ou outra. Muitas daquelas referências não desarmavam as interrupções porque eram referências somente de leitura e, portanto, inofensivas. O problema era que, naquele montador em particular, não havia uma boa maneira de saber se uma referência era somente leitura, sem seguir a lógica do código. Toda vez que uma variável era lida, podia ser atualizada e armazenada posteriormente. E se isso acontecesse enquanto as interrupções eram habilitadas, as variáveis podiam ser corrompidas.

Levou-me dias de estudos intensos, mas no final encontrei. Lá, no meio do código, havia um lugar onde uma das três variáveis estava sendo atualizada enquanto as interrupções eram habilitadas.

Fiz as contas. A vulnerabilidade era em torno de dois microssegundos de duração. Havia uma dezena de terminais, todos funcionando a 30 cps; então, seria uma interrupção a cada 3 microssegundos ou algo assim. Dado o tamanho do supervisor e o clock da CPU, esperávamos um travamento decorrente dessa vulnerabilidade, de uma ou duas vezes ao dia. Bingo!

Eu arrumei o problema, claro, mas nunca tive coragem de desligar a entrada automática que inspecionava e arrumava os contadores. Até hoje, não estou convencido de que não havia mais algum buraco.

DEPURANDO O TEMPO

Por algum motivo, desenvolvedores de software não pensam em depurar o tempo como tempo de codificação. Eles acham que depurar o tempo é um chamado da natureza, algo que *tem* que ser feito. Mas depurar o tempo é tão caro ao negócio quanto o tempo de codificação em si; logo, qualquer coisa que pudermos fazer para diminuí-lo ou evitá-lo é bom.

Hoje em dia, eu passo muito menos tempo depurando do que há dez anos. Nunca media a diferença, mas acredito que seja um fator de dez. Eu atingi essa redução verdadeiramente radical na depuração de tempo ao adotar a prática de Desenvolvimento Guiado por Teste (TDD), que discutiremos no próximo capítulo.

Quer você adote TDD ou alguma outra disciplina de eficácia similar[3], compete a você, como profissional, reduzir a depuração de tempo o mais próximo a zero que puder. Claramente, zero é um resultado assintótico, mas sua meta não.

Médicos não gostam de reabrir seus pacientes para corrigir algo que tenham feito errado. Advogados não gostam de reabrir casos que arruinaram. Um médico ou advogado que faz isso com muita frequência não pode ser considerado profissional. Da mesma maneira, um desenvolvedor de software que cria muitos bugs está agindo de forma antiprofissional.

ESTABELECENDO O RITMO

Desenvolvimento de software é uma maratona, não uma corrida de velocidade. Você não pode vencer a corrida ao tentar correr o mais rápido que puder desde o início. Você vence ao conservar seus recursos e estabelecer um ritmo. Um maratonista cuida de seu corpo antes e *durante* a corrida. Programadores profissionais conservam sua energia e criatividade com o mesmo cuidado.

SAIBA QUANDO SE AFASTAR

Não consegue ir para casa até resolver o problema? Sim, você pode, e provavelmente deveria! Criatividade e inteligência são estados mentais efêmeros. Quando você está cansado, eles desaparecem. Assim, se você

3. Eu não conheço nenhuma disciplina que seja mais eficiente que TDD, mas quem sabe você conheça.

bombardeia seu cérebro, que já não está funcionando, por horas e horas até tarde da noite tentando resolver o problema, simplesmente ficará mais cansado e reduzirá as chances de que o banho ou o carro o ajudem.

Quando você está travado e cansado, desencane um pouco. Dê ao seu subconsciente criativo uma pausa do problema. Você fará mais em menos tempo e com menos esforço se for cuidadoso com seus recursos. Estabeleça um ritmo para você e sua equipe. Aprenda seus padrões de criatividade e brilho e tire vantagem deles, em vez de trabalhar contra eles.

DIRIGINDO PARA CASA

Um lugar no qual já resolvi um monte de problemas é o meu carro, no caminho do trabalho para casa. Dirigir requer vários recursos mentais não criativos. Você precisa dedicar seus olhos, mãos e partes da mente para a tarefa; portanto, precisa se desembaraçar dos problemas do trabalho. Existe algo sobre esse *desembaraço* que permite à sua mente buscar soluções de uma forma diferente e mais criativa.

O BANHO

Resolvi uma série de problemas enormes no banho. Talvez aquele espirro de água logo de manhã me desperte e faça com que eu revise todas as soluções que meu cérebro buscou enquanto estava adormecido.

Quando você está trabalhando em um problema, às vezes chega tão perto que não consegue ver todas as opções. Você perde soluções elegantes porque a parte criativa da mente está suprimida pela intensidade do foco. Às vezes, a melhor forma para se resolver um problema é ir para casa, jantar, assistir TV, dormir e, então, acordar na manhã seguinte e tomar um banho.

ATRASANDO-SE

Você *vai* se atrasar. Acontece com os melhores de nós. Com os mais dedicados. Às vezes, nós apenas perdemos o controle de nossas estimativas e terminamos atrasados.

O truque para gerenciar isso é a detecção rápida do problema e a transparência. O pior cenário ocorre quando você continua a dizer para todo mundo até o final que entregará no prazo – e então desaponta a todos. *Não* faça isso. Em vez disso, meça regularmente seu progresso em relação à meta e apresente três datas finais com base em fatos[4]: melhor caso, caso nominal e pior caso. Seja o mais honesto que puder com relação às três datas. *Não incorpore esperança às suas estimativas!* Apresente os três números à equipe e aos acionistas. Atualize esses números diariamente.

ESPERANÇA

E se esses números mostrarem que você *pode* perder um prazo? Por exemplo, digamos que há uma feira em dez dias e precisamos ter nosso produto lá. Mas digamos também que seus três números estimados para o recurso no qual está trabalhando sejam 8/12/20.

Não espere que possa acabar tudo em dez dias! Esperança é uma assassina de projetos. Ela destrói agendas e arruína reputações. Esperança o deixará em profundos problemas. Se a feira for em dez dias e sua estimativa nominal é doze, você *não conseguirá*. Certifique-se de que a equipe e os acionistas entendam a situação e não saia de cima do projeto até que exista um plano reserva. Não deixe que mais ninguém tenha esperança.

APRESSAR-SE

E se o gerente sentar com você e pedir que tente cumprir o prazo? E se ele insistir para que você "faça o que for necessário"? *Atenha-se às suas estimativas!* Elas são mais precisas do que qualquer mudança que você faça enquanto seu chefe o está confrontando. Diga a seu chefe que já considerou as opções (por que você já o fez) e que a única forma de progredir com a agenda é reduzir metas. *Não fique tentado a se apressar.*

Pobre do desenvolvedor que cede à pressão e concorda em *tentar* cumprir o prazo. Ele começará a tomar atalhos e trabalhar horas a mais na vã esperança de fabricar um milagre. Essa é a receita para um desastre por que dá a você, a sua

[4] Falamos mais sobre isso no capítulo sobre Estimativas.

equipe e superiores, uma falsa esperança. Faz com que todos evitem encarar o problema e atrasa a tomada das decisões necessárias.

Não há como se apressar. Você não pode se obrigar a codificar mais rápido. Não pode se obrigar a resolver os problemas mais rapidamente. Se tentar, somente se atrasará e fará uma grande bagunça que, por conseguinte, atrasará a todos os demais também.

Então você deve responder ao seu chefe, equipe e acionistas de forma a tirar-lhes a esperança.

Hora Extra

Então seu chefe diz, "E se você fizer duas horas extras por dia? E se trabalhar aos sábados? Vamos lá, tem que haver alguma maneira de colocar horas o bastante para que esse recurso seja entregue a tempo".

Hora extra pode funcionar e, às vezes, ela é necessária. Não raro, você consegue cumprir um prazo que, de outra maneira, seria impossível ao adicionar algo em torno de dez horas por semana, além de um sábado ou dois. Mas é bastante arriscado. É improvável que você obtenha 20% a mais de trabalho ao trabalhar 20% de horas a mais. Fora isso, a hora extra certamente falhará se ela continuar por mais do que duas ou três semanas.

Portanto, você não deve concordar com elas a não ser que, (1) possa dar conta pessoalmente; (2) for por pouco tempo, duas semanas ou menos; e (3) *seu chefe tenha um plano reserva no caso* de as horas extras falharem.

Esse último critério costuma ser um destruidor de acordos. Se seu chefe não puder articular o que ele fará caso seus esforços falhem, então você não deve concordar com as horas extras.

Falsa Entrega

De todos os comportamentos antiprofissionais que um programador pode ter, talvez o pior seja dizer que você terminou quando, na verdade, não o fez. Às vezes, isso é apenas uma mentira evidente, e isso já é ruim o bastante. Mas o caso mais insidioso é quando damos um jeito de racionalizar uma nova definição para "terminar". Convencemos-nos de que já fizemos o *bastante* e vamos para a próxima tarefa.

Racionalizamos que qualquer trabalho que tenha restado pode ser feito mais tarde, quando tivermos mais tempo.

Essa é uma prática contagiosa. Se um programador age assim, os outros irão ver e imitá-lo. Um deles estenderá ainda mais a definição de "terminar" e todos adotarão essa nova definição. Já vi isso ser levado a extremos horríveis. Um de meus clientes chegou a definir "terminar" como "dar entrada". O código nem sequer precisava compilar. É bastante fácil "terminar" se nada precisa funcionar!

Quando uma equipe cai nessa armadilha, os gerentes escutam dizer que tudo vai bem. Todos os relatórios sobre o status dizem que as pessoas estão no prazo. É como cegos fazendo piquenique em trilhos de trem: ninguém vê o trem desgovernado de trabalho inacabado vindo em direção a eles até ser tarde demais.

DEFINA "TERMINAR"

Você evita o problema de falsa entrega ao criar uma definição independente para "terminar". A melhor forma de se fazer isso é pedir que os analistas de negócios e testadores criem testes de aceitação automatizado[5] que precisam ser rodados antes que você possa dizer que terminou. Esses testes devem ser escritos em uma linguagem como FITNESSE, Selenium, RobotFX, Cucumber etc. Eles precisam ser compreensíveis para os stakeholders e pessoas de negócios, e devem ser rodados com frequência.

AJUDA

Programação é *difícil*. Quanto mais jovem você é, menos acredita nisso. Afinal, é só um monte de demonstrações *if* e *while*. Mas à medida que ganha experiência, começa a perceber que a forma como combina essas demonstrações é extremamente importante. Você não pode simplesmente espalhá-las e esperar que o melhor ocorra. Em vez disso, precisa dividir o sistema cuidadosamente em pequenas unidades inteligíveis, que tenham o mínimo possível a ver umas com as outras – e isso é difícil.

Programar é tão difícil, que está além da capacidade de uma só pessoa para fazê-lo bem feito. Independentemente das habilidades que você tenha, certamente se beneficiará dos pensamentos e ideias de outro programador.

5. Cheque o Capítulo 7, "Teste de Aceitação".

Ajudando os Outros

Por causa disso, é responsabilidade dos programadores estarem disponíveis para se ajudarem mutuamente. É uma violação da ética profissional se enclausurar em um cubículo ou escritório e recusar-se a auxiliar os outros. Seu trabalho não é tão importante a ponto de não poder encontrar algum tempo para ajudar quem precise. Na verdade, como um profissional, você tem o dever moral de ajudar sempre que alguém precisar.

Isso não significa que você não precisa de algum tempo para si. Claro que precisa. Mas tem que ser justo e educado quanto a isso. Por exemplo, você pode tornar de conhecimento público que entre às 10 da manhã e o meio-dia, não deverá ser incomodado, mas da 1 às 3 da tarde, sua porta estará aberta.

Você deve estar ciente do status de seus colegas de equipe. Se vir alguém que parece estar com problemas, deve se oferecer para ajudá-lo. Pode ser que se surpreenda bastante com o efeito que a oferta causará. Não se trata de você ser muito mais esperto que a outra pessoa, mas sim, de uma nova perspectiva que pode ser um profundo catalisador para a resolução de problemas.

Quando você ajudar alguém, sente-se e escreva o código junto. Planeje passar uma hora ou mais. Pode levar menos tempo que isso, mas não pareça estar com pressa. Resigne-se à tarefa e dê a ela um esforço sólido. Existe a chance de ter aprendido mais do que ensinou.

Sendo Ajudado

Quando alguém lhe oferecer ajuda, seja gracioso. Aceite-a de bom grado e se entregue a essa ajuda. *Não proteja seu domínio.* Não dispense a ajuda porque você está na mira de uma arma. Dê a ela trinta minutos ou algo assim. Se à essa altura a pessoa não estiver de fato ajudando-o, então recuse o auxílio educadamente e termine a sessão com um obrigado. Lembre-se de que assim como você está intimado pela honra a oferecer ajuda, também está em aceitá-la.

Aprenda a *pedir* ajuda. Quando você estiver travado, confuso ou simplesmente não conseguir focar sua mente no problema, peça auxílio a alguém. Se estiver em uma sala com mais pessoas, pode-se simplesmente recostar e dizer, "Preciso de ajuda". De outra forma, use Twitter, e-mail, o telefone de sua mesa ou fale com os colegas. Ligue pedindo socorro. Isso tem a ver com ética profissional. Não é nada profissional permanecer travado quando a ajuda está facilmente acessível.

A essa altura você pode estar esperando que eu cante o refrão de *Kumbaya*, enquanto coelhos engraçadinhos pulam nas costas de unicórnios e todos voamos felizes para um arco-íris de esperança e mudanças. Não, não é bem assim. Veja, programadores *tendem* a ser arrogantes. Não entramos nesse negócio porque *gostamos* de pessoas. A maioria de nós entrou na área porque prefere permanecer profundamente focada em minúcia estéril, tratar muitos conceitos simultaneamente e, em geral, provar a nós mesmos que temos cérebros do tamanho de um planeta, tudo enquanto não precisamos ter que interagir com as confusas complexidades de *outras pessoas*.

Sim, isso é um estereótipo. É uma generalização com muitas exceções. Mas a verdade é que os programadores não tendem a ser colaboradores[6]. E, ainda assim, a colaboração é essencial para uma programação eficiente. Portanto, uma vez que, para muitos de nós, colaborar não é um instinto é preciso *disciplina* que nos conduza a isso.

ENSINO

Temos um capítulo inteiro sobre este assunto mais à frente. Por enquanto, permita-me simplesmente dizer que o treinamento de programadores menos experientes é responsabilidade daqueles que têm mais experiência. Cursos de treinamento não adiantam. Livros não adiantam. Nada pode trazer um jovem programador à sua performance de ponta mais rapidamente do que seu próprio direcionamento e um ensino adequado dos seniores. Portanto, novamente, é uma questão de ética profissional que os programadores mais experientes passem algum tempo com os mais jovens debaixo de suas asas. Pelo mesmo motivo, os jovens programadores têm um dever profissional de buscar essa orientação dos mais velhos.

6. Isso é bem mais verdadeiro para homens do que para mulheres. Tive uma conversa maravilhosa com @desi (Desi McAdam, fundadora da DevChix) sobre o que motiva as mulheres programadoras. Eu disse a ela que quando consigo fazer um programa funcionar, é como ter matado a grande besta. Ela me disse que para ela e outras mulheres com quem já conversou, o ato de escrever um código é um ato de alimentar a criação.

Bibliografia

(Martin09): Robert C. Martin, *Clean Code*, Upper Saddle River, NJ: Prentice Hall, 2009.

(Martin03): Robert C. Martin, *Agile Software Development: Principles, Patterns and Practices*, Upper Saddle River, NJ: Prentice Hall, 2003.

5 Desenvolvimento Guiado por Teste (TDD)

Já faz mais de dez anos que o Desenvolvimento Guiado por Teste (TDD) chegou à indústria. Ele veio como parte da onda de Extreme Programming (Programação Extrema – XP). Assim, desde então, foi adotado pelo Scrum e virtualmente por quase todos os outros métodos da Agile. Até mesmo equipes que não são da Agile usam TDD.

Quando escutei falar pela primeira vez de "Test-first programming" fiquei cético. Quem não ficaria? Escrever seus testes de unidades antes? Quem faria uma coisa idiota como essa? Mas eu já era programador profissional há 30 anos na época, e já tinha visto coisas chegarem e desaparecerem na indústria. Sabia que não é tudo que se pode dispensar de primeira mão, especialmente quando vem da boca de alguém como Kent Beck.

Então, em 1999, viajei para Medford, Oregon, para encontrar-me com Kent e aprender a disciplina com ele. A experiência foi um choque como um todo.

Kent e eu nos sentamos no escritório dele e começamos a codificar alguns problemas bastante simples em Java. Eu só queria escrever uma coisa boba. Mas Kent resistiu e me levou, passo a passo, por todo o processo. Primeiro, ele escreveu uma pequena parte da unidade de um teste, quase não o bastante para ser qualificada como código. Então escreveu só o suficiente para fazer aquela compilação de teste. Ele escreveu um pouco mais de teste, depois um pouco mais do código.

O ciclo de tempo estava completamente fora de minha experiência. Estava habituado a escrever o código em sua grande totalidade antes de tentar compilá-lo ou rodá-lo. Mas Kent estava literalmente executando seu código a cada trinta segundos, ou algo assim. Fiquei espantado!

E mais, reconheci o ciclo de tempo. Era o tipo de ciclo que eu usava anos antes, quando criança[1], programando jogos em linguagens de interpretação como Basic ou Logo. Nessas linguagens, não há construção de tempo, então você simplesmente adiciona uma linha de código e o executa. Você circunda o ciclo muito rapidamente e, por isso, pode ser *bastante* produtivo.

Mas em programação real esse tipo de ciclo de tempo era absurdo. Em programação real, você precisava passar horas escrevendo códigos, e depois muito mais tempo compilando-os. E ainda mais tempo depurando. Era um *programador C++, droga*! E em C++ temos construções e links de tempo que levam minutos, às vezes horas. Ciclos de tempo de 30 segundos eram inimagináveis.

Ainda assim, lá estava Kent, mandando ver em seu programa Java com ciclos de 30 segundos, e sem dar indícios de que desaceleraria em algum ponto. Então me

1. Do meu ponto de vista, criança é qualquer um com menos de 35 anos. Na época em que estava nos 20, passei uma quantidade significativa de tempo escrevendo jogos bobos em linguagens de interpretação. Escrevi jogos de guerra espaciais, de aventura, corrida de cavalos, jogos de cobras, jogos de azar, pode escolher.

ocorreu, enquanto estava lá no escritório, de que ao usar aquela simples disciplina poderia codificar em linguagens reais com ciclo de tempo Logo! Havia sido fisgado!

O JÚRI CHEGOU

Desde então, aprendi que TDD é muito mais que um simples truque para abreviar o ciclo de tempo. A disciplina tem todo um repertório de benefícios que descreverei nos parágrafos seguintes.

Mas primeiro preciso dizer o seguinte:

- O júri chegou!
- A controvérsia acabou.
- GOTO é prejudicial.
- E TDD funciona.

Sim, há muitos blogs e artigos controversos falando sobre TDD, escritos ao longo dos anos. No começo, eles eram tentativas sérias de criticar e entender. Atualmente, não passam de retóricas. O ponto fundamental é que TDD funciona e todo mundo precisa superar isso.

Sei que isso soa estridente e unilateral, mas dados os números, não acho que cirurgiões tenham que defender a higienização das mãos, assim como programadores não precisam defender TDD.

Como você pode se considerar um profissional se não souber que *todos* os seus códigos funcionam? Como pode saber se todos eles funcionam se não testá-los a cada mudança que efetuar? Como pode testá-los a cada mudança efetuada se não tiver testes de unidades automatizados que forneçam uma alta cobertura? Como pode obter essas unidades sem TDD?

A última sentença exige uma elaboração. O que, afinal, TDD?

As Três Leis do TDD

1. Você não pode escrever nenhum código de produção até que tenha escrito antes um teste de unidade que detecte uma falha.
2. Você não pode escrever mais de um teste de unidade do que o suficiente para a falha – e não compilar é não ter efeito.
3. Você não pode escrever mais códigos de produção que sejam suficientes para passar pelo atual teste de unidade.

Essas três leis o colocam em um ciclo que talvez tenha trinta segundos de duração. Comece com uma pequena porção do teste de unidade. Mas em poucos segundos, você terá que mencionar o nome de alguma classe ou função que ainda não escreveu fazendo, portanto, com que o teste de unidade falhe ao compilar. Então, será preciso escrever o código de produção que fará com que o teste compile. Mas você não pode escrever mais do que isso, portanto comece a escrever mais códigos de testes de unidade.

E o ciclo continua. Adicione um pouco ao código de teste. Adicione um pouco ao código de produção. Os dois fluxos de código crescem simultaneamente e em componentes complementares. Os testes se encaixam no código de produção como um anticorpo em um antígeno.

A Litania dos Benefícios

Certeza

Se você adotar TDD como uma disciplina profissional, escreverá dezenas de testes diariamente, centenas por semana e milhares todos os anos. Manterá todos eles ao seu alcance e os usará sempre que fizer qualquer mudança em seu código.

Eu sou o principal autor e mantenedor da FitNesse[2], uma ferramenta de teste com base em Java. Até o momento da concepção deste livro, a FitNesse tinha 64.000 linhas de código, das quais 28.000 são contidas em pouco mais de 2.200 testes de unidades individuais. Esses testes cobrem pelo menos 90% da produção de códigos[3] e levam em torno de 90 segundos para serem executados.

2. http://fitnesse.org.

3. Noventa por cento é o mínimo. O número é na verdade maior do que isso. A quantidade exata é difícil de ser calculada por que as ferramentas de cobertura não conseguem ver o código que roda em processos externos ou em blocos catch.

Sempre que faço uma mudança em qualquer parte da FitNesse, simplesmente rodo os testes de unidades. Se eles passarem, tenho quase certeza de que a mudança feita não danificou nada. Quanto de certeza é "quase certeza"? O bastante para seguir em frente.

O processo de GQ para a FitNesse é o comando: ant release. Esse comando constrói a FitNesse desde o rascunho e então roda todos os testes de unidade e de aceitação. Se tudo dá certo, está pronto para o envio.

Taxa de Injeção de Defeitos

Porém a FitNesse não é um aplicativo cuja missão é vital. Se há um bug, ninguém morre e ninguém perde milhões de dólares. Portanto, eu posso me dar ao luxo de fazer o envio com base em nada mais do que esses testes. Por outro lado, a FitNesse tem milhares de usuários e apesar da adição de 20.000 novas linhas de código no ano passado, minha lista de defeitos tem apenas 17 bugs (dos quais muitos são de natureza cosmética). Então sei que minha taxa de injeção de defeitos é bem baixa.

Isso não é um efeito isolado. Há diversos relatos[4] e estudos[5] que descrevem uma redução significativa nos defeitos. Da IBM à Microsoft, da Sabre à Symantec, uma empresa após a outra e equipe após equipe têm experimentado reduções nos defeitos em 2x, 5x ou em até 10x. Esses são números que profissional algum pode ignorar.

Coragem

Por que você não corrige o código ruim quando o vê? Sua primeira reação ao ver uma função bagunçada é "Isso está uma zona, precisa ser limpo". Sua segunda reação é "Não vou colocar a mão nisso aqui!". Por quê? Porque sabe que se tocar corre o risco de quebrar; e se quebrar, a responsabilidade passa a ser sua.

Mas e se você pudesse ter *certeza* de que a limpeza não danificaria nada? E se tivesse aquele tipo de certeza que acabei de mencionar? E se pudesse clicar em um botão e *saber* em 90 segundos que suas mudanças não quebraram coisa alguma e só *promoveram benefícios*?

Esse é um dos benefícios mais poderosos do TDD. Quando você tem um conjunto de testes, você perde todo o medo de efetuar mudanças. Ao ver um código ruim,

4. http://www.objectmentor.com/omSolutions/agile_customers.html
5. (Maximilien), (George2003), (Janzen2005), (Nagappan2008)

você simplesmente o arruma. O código se torna argila que você pode esculpir em estruturas simples e agradáveis.

Quando programadores perdem o medo de fazer a limpeza, eles a fazem! Um código limpo é mais fácil de ser entendido, alterado e aumentado. Os defeitos tornam-se menos prováveis porque o código fica mais simples. A base *melhora* solidamente, em vez do apodrecimento normal ao qual nossa indústria tem se acostumado.

Que programador profissional pode permitir que esse apodrecimento continue?

Documentação

Você já utilizou uma estrutura de trabalho terceirizada? Normalmente, o terceiro lhe envia um manual bem formatado feito por programadores de tecnologia. O manual típico emprega 27 fotos, oito por dez, coloridas e brilhantes, com círculos, flechas e um parágrafo na parte de trás de cada uma explicando como configurar, implantar, manipular e utilizar uma estrutura de trabalho de forma geral. No final, no apêndice, há com frequência uma pequena seção que contém todos os exemplos de código.

Qual é o primeiro lugar que você checa no manual? Se você for um programador, irá aos exemplos de código. Você faz isso por que sabe que o código irá dizer-lhe a verdade. As 27 fotografias com todos os seus círculos e flechas, além do parágrafo explicativo atrás podem ser bonitas, mas se quiser saber como usar códigos, precisa conseguir lê-los.

Cada um dos testes de unidades que você escreve quando segue as três leis é um exemplo escrito em código, descrevendo como o sistema deve ser usado. Se você seguir as três leis, então haverá um teste de unidade que descreve como criar cada objeto no sistema, de todas as formas pelas quais esse objeto pode ser criado. Haverá também, um teste de unidade que descreverá como chamar cada função no sistema, de todas as maneiras pelas quais essas funções podem ser significativamente chamadas. Para qualquer coisa que você precisar saber como se faz, haverá um teste de unidade com a descrição em detalhes.

Os testes de unidades são documentos. Eles descrevem o nível de design mais baixo do sistema. Eles não têm ambiguidade, são precisos e escritos em uma linguagem formal que o público entende. São a melhor forma de documentação de nível mais baixo que existe. Que profissional não forneceria tal documentação?

Design

Quando você segue as três leis e escreve seus primeiros testes, encontra um dilema. Com frequência, sabe exatamente qual código quer escrever, mas essas três leis lhe dizem para escrever um teste de unidade que falha porque aquele código não existe! Isso significa que você precisa testar o código que está para escrever.

O problema em testar códigos é que você precisa isolá-los. Costuma ser difícil testar uma função se aquela função chama outras funções. Para escrever esse teste, você precisa descobrir alguma forma de dissociar a função das demais. Em outras palavras, a necessidade para testar primeiro o força a pensar em um *bom design*.

Se você não escrever seus testes primeiro, não há força que o impeça de dissociar todas as funções em uma massa que não possa ser testada. Se escrever seu teste depois, pode ser capaz de testar os inputs e outputs da massa total, mas provavelmente será difícil testar as funções individuais.

Portanto, seguir as três leis e escrever seus testes primeiro, gera uma força que o impele a um design mais bem dissociado. Que profissional não empregaria ferramentas que levam a um design melhor?

"Mas eu posso escrever meus testes depois", você diz. Não, não pode. Não, de fato. Você pode escrever *alguns* testes depois. Pode até mesmo abordar a alta cobertura posteriormente se for cuidadoso o suficiente para mensurá-la. Mas os testes que escrever após o fato são *defensivos*. Os que escrever antes são *ofensivos*. Testes feitos após o fato são escritos por alguém que já está investido no código e sabe como o problema foi resolvido. Não há como esses testes serem tão incisivos quanto os que são escritos primeiro.

A Opção Profissional

A conclusão disso tudo é que TDD é a opção profissional. É uma disciplina que potencializa a certeza, a coragem, a redução de falhas, a documentação e o design. Com tudo isso em jogo, sua não utilização pode ser considerada *falta* de profissionalismo.

O Que o TDD Não É

Apesar de todos os seus pontos positivos, TDD não é uma religião ou fórmula mágica. Seguir as três leis não garante qualquer um desses benefícios. Você ainda pode escrever códigos ruins mesmo fazendo os testes primeiro. Na verdade, você pode escrever testes ruins.

De modo similar, há situações em que seguir as três leis é simplesmente impraticável ou inapropriado. São situações raras, mas existem. Nenhum desenvolvedor profissional deve seguir uma disciplina quando ela faz mais mal que bem.

Bibliografia

(Maximilien): E, Michael Maximilien, Laurie Williams, "Assessing test-driven Development at IBM", http://collaboration.csc.ncsu.edu/laurie/Papers/MAXIMILIEN_WILLIAMS.PDF

(George2003): B, George, and L. Williams, "An initial Investigation of Test-driven Development in Industry", http:// collaboration.csc.ncsu.edu/laurie/Papers/TDDpaperv8.pdf

(Janzen2005): D. Janzen and H. Saiedian, "Test-driven development concepts, taxonomy, and future direction", *IEEE Computer*, Volume 38, Issue 9, pp. 43-50.

(Nagappan2008): Nachiappan Nagappan, E. Michael Maximilien, Thirumalesh Bhat, and Laurie Williams, "Realizing quality improvement through test driven development: results and experiences of four industrial teams", Springer Science + Business Media, LLC 2008: http://research.microsoft.com/en-us/projects/esm/nagappan_tdd.pdf

6 PRÁTICA

Todos os profissionais praticam sua arte ao se envolverem com exercícios que afiam suas habilidades. Músicos ensaiam escalas. Jogadores de futebol correm sobre pneus. Médicos praticam suturas e técnicas cirúrgicas. Advogados praticam argumentação. Soldados realizam missões de exercícios. Quando o desempenho importa, os profissionais praticam. Este capítulo trata sobre as formas como os programadores podem praticar sua arte.

ALGUMAS CONSIDERAÇÕES SOBRE A PRÁTICA

Prática não é um conceito novo no desenvolvimento de software, mas nós não a reconhecíamos como prática até a virada do milênio. Talvez o primeiro exemplo formal de programas para praticar tenha sido imprimido na página 6 do [K&R-C]:

```
main()
{
  printf("hello, world \n");
}
```

Quem de nós nunca escreveu esse programa de uma forma ou de outra? O usamos para testar um novo ambiente ou linguagem. Escrever e executar esse programa é a prova de que podemos escrever e executar *qualquer* programa.

Quando era mais jovem, um dos primeiros programas que escrevi em um computador novo foi `SQINT`, os quadrados de números inteiros. Escrevi-o em Assembler, BASIC, FORTRAN, COBOL e um zilhão de outras linguagens. Mais uma vez, foi uma forma de provar que eu podia fazer com que o computador me obedecesse.

No começo dos anos 1980, computadores pessoais começaram a aparecer nas lojas de departamentos. Sempre que passava por um, como o VIC-20 ou o Commodore-64, ou um TRS-80, escrevia um pequeno programa que imprimisse uma corrente infinita de caracteres '\' e '/' na tela. Os padrões que esse programa produzia eram agradáveis aos olhos e pareciam bem mais complexos do que o pequeno programa que os havia gerado.

Embora esses pequenos programas fossem certamente programas para prática, os programadores, em geral, não *praticavam*. Para ser honesto, a ideia nunca nos ocorreu. Estávamos ocupados demais escrevendo códigos para pensarmos em nossas habilidades. Fora isso, qual seria o objetivo? Durante aqueles anos, a programação não precisava de reações rápidas e dedos ágeis. Não usávamos editores de tela até o final dos anos 1970. Passávamos grande parte de nosso tempo esperando pelas compilações ou depurando enormes e horríveis rascunhos de códigos. Ainda não tínhamos inventado ciclos curtos de TDD, então não precisávamos da rapidez que a prática pode trazer.

VINTE E DOIS ZEROS

Mas as coisas mudaram desde aqueles dias iniciais da programação. Algumas, mudaram *bastante*. Outras, nem tanto assim.

Uma das primeiras máquinas para a qual escrevi programas foi a PDP-8/I. Ela tinha um ciclo de tempo de 1,5 microssegundos. Tinha 4.096 palavras de 12 bits na memória central. Era do tamanho de uma geladeira e consumia uma quantidade significativa de energia elétrica. Tinha um disco rígido que podia armazenar 32K das palavras de 12 bits e falávamos com ela usando um teletipo de 10 caracteres por segundo. Achávamos que essa era uma máquina *poderosa* e a usávamos para operar milagres.

Acabei de comprar um novo laptop Macbook Pro. Ele tem um processador dual core 2.8 GHz, 8 GB de RAM, um SSD de 512 GB, e uma tela LED 1920 x 1200 de 17 polegadas. Eu o levo em minha mochila. Cabe no meu colo. Consome menos de 85 watts.

Meu laptop é oito mil vezes mais rápido, tem dois milhões de vezes mais memória, tem dezesseis milhões de vezes mais armazenamento offline, requer 1% da energia, ocupa 1% do espaço e custa 1/25 o preço do PDP-8/I. Vamos fazer as contas:

$$8.000 \times 2.000{,}000 \times 16.000{,}000 \times 100 \times 100 \times 25 = 6{,}4 \times 10^{22}$$

Este número é *grande*. Estamos falando em 22 *zeros de magnitude*! Essa é a quantidade de angstroms que ficam entre nós e a Alpha Centauri. É a quantidade de elétrons que há em um dólar de prata. É a massa da Terra em unidades de Michael Moore. É um número muito, muito grande. E está em meu colo, e, possivelmente, no seu também!

E o que estou fazendo com esse aumento na potência de 22 fatores de dez? Estou fazendo basicamente o que fazia com o PDP-8/I. Escrevendo comandos *if*, loops *while* e atribuições.

Claro, tenho ferramentas melhores para escrever esses comandos. E também tenho linguagens melhores. Mas a natureza dos comandos não mudou durante todo esse tempo. O código atualmente seria reconhecível para um programador da década de 1960. A argila que manipulamos não mudou muito nessas quatro décadas.

TEMPO DE RESPOSTA

Mas a *forma* que trabalhamos mudou dramaticamente. Nos anos 1960, eu poderia esperar um dia ou dois para ver os resultados de uma compilação. Nos anos 1970, um programa com 50.000 linhas levava 45 minutos para ser compilado. Até mesmo, na década de 1990, a norma ainda era de longos períodos de construção.

Os programadores de hoje em dia não aguardam compilações[1]. Eles têm um poder tão imenso sob seus dedos que podem passar pelo loop de refatoração, do vermelho para o verde, em segundos.

Por exemplo: eu trabalho em um projeto de Java com 64.000 linhas chamado FITNESSE. Uma construção completa, incluindo todas as unidades e testes de integração, é executada em menos de 4 minutos. Se esses testes passarem, estou pronto para enviar o produto. *Então, o processo completo de GQ do código-fonte até a implantação leva menos de 4 minutos.* Compilações não requerem quase tempo algum. Testes parciais requerem *segundos*. Então posso, literalmente, passar pelo loop de teste/compilação *dez vezes por minuto*!

Nem sempre é aconselhável seguir assim tão rápido. Com frequência, é melhor desacelerar e *pensar*[2]. Mas há outras ocasiões em que passar por esse loop o mais rápido possível é *altamente* produtivo.

Fazer qualquer coisa rápida exige prática. Passar pelo loop de código/teste com velocidade requer que você tome decisões rápidas. Isso significa ser capaz de reconhecer um vasto número de situações e problemas, e simplesmente *saber* o que fazer para resolvê-los.

Considere dois artistas marciais em combate. Cada qual precisa reconhecer o que o outro está pretendendo e responder apropriadamente em microssegundos. Em uma situação de combate, você não tem o luxo de congelar o tempo, estudar as posições e deliberar sobre a resposta apropriada. Só o que pode fazer é *reagir*. De fato, é seu *corpo* que reage, enquanto sua mente trabalha em um nível mais elevado de estratégia.

Quando você está passando pelo loop de código/teste várias vezes por minuto, é seu *corpo* que sabe qual tecla pressionar. Uma parte central de sua mente reconhece a

1. O fato de que alguns programadores esperam por construções é trágico e indica negligência. No mundo de hoje, o tempo de construção deve ser medido em segundos, não minutos, e certamente, não em horas.
2. Esta é uma técnica que Rich Hickey chama de HDD, ou Hammock-Driven Development .

situação e reage em milissegundos com a solução apropriada, enquanto ela como um todo, está livre para se focar no problema em um nível mais elevado.

Em ambos os casos, das artes marciais e da programação, a velocidade depende da *prática*. E, em ambos os casos, a prática é parecida. Escolhemos um repertório de pares de problemas/soluções e os executamos repetidamente, até que os conhecemos de cor.

Considere um guitarrista, como Carlos Santana. A música em sua cabeça simplesmente sai pelos seus dedos. Ele não se concentra em posição de dedos ou técnica de palhetas. Sua mente está livre para planejar melodias e harmonias em alto nível, enquanto seu corpo traduz esses planos em movimentos executados pelos dedos.

Mas para ganhar esse tipo de facilidade ao tocar, é necessário prática. Músicos praticam escalas e riffs sem parar, até os conhecerem de cor.

O Coding Dojo

Desde 2001, tenho feito uma demonstração de TDD chamada *O Jogo de Boliche*[3]. É um adorável e pequeno exercício que leva em torno de 30 minutos. Ele gera experiência em conflitos no design, até a situação chegar a um clímax, e termina com uma surpresa. Escrevi um capítulo completo sobre esse exemplo [PPP2003].

Ao longo dos anos fiz essa demonstração centenas, talvez, milhares de vezes. Fiquei *muito* bom nela. Poderia fazê-la dormindo. Minimizei as teclas que toco, afinei os nomes das variáveis, e torci a estrutura de algoritmos até que estivesse boa. Embora não soubesse na época, esse foi meu primeiro kata.

Em 2005, fui à Conferência XP2005 em Sheffield, na Inglaterra. Fui a uma sessão com o nome *Coding Dojo*, organizada por Laurent Bossavit e Emmanuel Gaillot. Eles fizeram com que todos abrissem seus laptops e codificassem junto com eles, enquanto usavam TDD para escrever *O Jogo da Vida,* de Conway. Chamaram isso de "kata" e creditaram o "pragmático" Dave Thomas[4] pela ideia original[5].

---

3. Este se tornou um kata bastante popular, e uma busca no Google encontrará diversos exemplos dele. O original está aqui: http://butunclebob.com/ArticleS.UncleBob.TheBowlingGameKata.
4. Usamos o prefixo "pragmático" para distingui-lo do "grande" Dave Thomas, da OTI.
5. http://codekata.pragprog.com

Desde então, muitos programadores adotaram essa metáfora de artes marciais para suas sessões de prática. O nome Coding Dojo[6] parece ter pegado. Às vezes, um grupo de programadores se encontra e pratica juntos, como fazem os artistas marciais. Em outras, os programadores praticam sozinhos, novamente como artistas marciais.

Por volta de um ano atrás, estava ensinando um grupo de desenvolvedores em Omaha. No almoço, eles me convidaram para se juntar ao Coding Dojo. Vi vinte desenvolvedores abrirem seus laptops e, tecla por tecla, seguiram o líder que estava fazendo o kata do *Jogo de Boliche*.

Há diversas atividades que ocorrem em um dojo. Aqui vão algumas:

KATA

Nas artes marciais, um kata é um conjunto preciso de movimentos coreografados que simula um lado de um combate. A meta, que é abordada assintomaticamente, é a perfeição. O artista luta para ensinar seu corpo a fazer cada movimento com perfeição e encadear aqueles movimentos em uma sanção fluída. Katas bem executados são lindos de se assistir.

Por mais bonitos que sejam, o propósito de aprender um kata não é desempenhá-lo no palco. O propósito é treinar sua mente e corpo para reagir em uma situação particular de combate. Esses movimentos perfeitos devem se tornar automáticos e instintivos, de forma que estejam à disposição quando o praticante precisar deles.

Um kata de programação é um conjunto preciso de toques e movimentos do mouse coreografados que simulam a resolução de um problema de programação. Você não está resolvendo o problema de verdade porque já sabe qual é a solução. Em vez disso, está praticando os movimentos e decisões envolvidos na resolução do problema.

A assíntota da perfeição é, novamente, a meta. Você repete o exercício para treinar seu cérebro e dedos a se moverem e reagirem. À medida que pratica, descobrirá melhorias sutis e habilidades diferentes em seus movimentos ou na própria solução em si.

6. http://codingdojo.org/

Praticar um conjunto de katas é uma boa maneira de aprender teclas quentes e idiomas de navegação. Também melhora disciplinas como TDD e CI. Contudo, o mais importante é que são uma boa forma de conduzir pares de problemas/soluções comuns para seu subconsciente, de forma que você simplesmente saiba como resolvê-los quando se deparar com eles em programação real.

Como qualquer artista marcial, um programador deve conhecer diversos katas diferentes e praticá-los regularmente, para que não desapareçam de sua memória. Muitos katas estão gravados em http://katas.softwarecraftsmanship.org (conteúdo em inglês). Outros podem ser encontrados em http://codekata.pragprog.com. Alguns de meus favoritos são:

- *O Jogo de Boliche:* http://butunclebob.com/ArticleS.UncleBob.TheBowlingGameKata
- *Fatores Primos:* http:// butunclebob.com/ArticleS.UncleBob.ThePrimeFactorsKata
- *Quebra de Linha:* http://thecleancoder.blogspot.com/2010/10/craftsman-62-dark-path.html

Para um desafio de verdade, tente aprender o kata tão bem que consiga vê-lo como se cantasse uma música. Executá-lo tão bem assim é *difícil*[7].

Wasa

Quando treinei jiu-jitsu, grande parte de nosso tempo no dojo era gasto em pares, praticando nosso wasa. *Wasa* é bem parecido com um kata de duas pessoas. As rotinas são precisamente memorizadas e executadas. Um parceiro desempenha o papel de agressor e o outro é o defensor. Os movimentos são repetidos à exaustão. Depois os praticantes trocam os papéis.

Programadores podem praticar de forma similar, usando um jogo conhecido como pingue-pongue[8]. Os dois parceiros escolhem um kata ou um problema simples. Um programador escreve um teste de unidade, então o outro o faz rodar. Depois eles trocam os papéis.

7. http://katas.softwarecraftsmanship.org/?p=71
8. http://c2.com/cgi/wiki?PairProgrammingPingPongPattern

Se os parceiros escolherem um kata padrão, então o resultado é conhecido e os programadores estarão praticando e criticando as técnicas de digitação e mouse um do outro, e o quão bem cada um memorizou o kata. Por outro lado, se os parceiros escolherem um problema novo para ser resolvido, o jogo pode ficar um pouco mais interessante. O programador que escreve o teste tem uma quantidade irregular de controle sobre como o problema será resolvido. Ele também tem uma quantidade significativa de poder para estabelecer as restrições. Por exemplo: se o programador escolher implementar um algoritmo sortido, o desenvolvedor do teste pode facilmente colocar restrições na velocidade e espaço de memória que desafiarão seu parceiro. Isso pode tornar o jogo bastante competitivo... e divertido.

Randori

Randori é uma forma de combate livre. Em nosso dojo de jiu-jitsu, estabelecíamos uma variedade de cenários de combate e os encenávamos. Às vezes, uma pessoa era escolhida para defender, enquanto o resto a atacava em sequência. Em outras, colocávamos dois ou mais atacantes contra um defensor (em geral, o sensei, que quase sempre vencia). Às vezes, fazíamos dois a dois, e assim por diante.

Combate simulado não mapeia bem a programação; entretanto, há um jogo praticado em diversos coding dojos chamado randori. É bem parecido com o wasa de dois homens, no qual os parceiros estão resolvendo o problema. Entretanto, é jogado com várias pessoas e as regras têm uma pegadinha. Com a tela projetada na parede, uma pessoa escreve um teste e, então, senta-se. A próxima pessoa faz com que o teste passe e então escreve outro. Isso pode ser feito em sequência em volta de uma mesa ou as pessoas simplesmente se alinham da forma que quiserem. Em ambos os casos, o exercício pode ser bem divertido.

É notável o tanto que você pode aprender a partir dessas sessões. Você pode ter uma ampla percepção pela forma com que as outras pessoas resolvem seus problemas. Essas percepções só ampliam sua própria capacidade e melhoram suas habilidades.

Ampliando sua Experiência

Com frequência, programadores profissionais sofrem pela falta de diversidade nos tipos de problemas que resolvem. Empregadores exigem uma mesma linguagem, plataforma e domínio, nos quais seus programadores têm que trabalhar. Sem uma influência mais ampla, isso pode levar a um estreitamento pouco saudável de seu currículo e de suas estruturas mentais. Não é incomum que esses programadores fiquem despreparados para as mudanças que sacodem a indústria periodicamente.

CÓDIGO ABERTO

Uma forma de permanecer atualizado é seguir o exemplo de médicos e advogados: Faça algum trabalho voluntário ao contribuir com um projeto de código aberto. Há diversos deles por aí e provavelmente não existe maneira melhor de aumentar seu repertório de habilidades do que trabalhar em algo que é importante para outra pessoa.

Portanto, se você for um programador de Java, contribua para um projeto Rails. Caso escreva bastante C++ para seu empregador, encontre um projeto Python e contribua com ele.

PRATIQUE A ÉTICA

Programadores profissionais praticam em seu próprio tempo. Não é função de seu empregador ajudá-lo a manter suas habilidades afiadas, nem manter seu currículo atualizado. Pacientes não pagam aos médicos para que eles pratiquem suturas. Fãs de futebol não pagam (geralmente) para ver os jogadores correrem em cima de pneus. As pessoas que frequentam concertos não pagam para escutar os músicos tocarem escalas. E empregadores de programadores não vão pagá-lo para praticar.

Uma vez que o tempo de prática é seu próprio tempo, você não precisa utilizar as mesmas linguagens e plataformas que usa com seu empregador. Escolha qualquer linguagem que goste e mantenha suas habilidades de poliglota afiadas. Se trabalhar em um projeto .NET, pratique um pouco de Java ou Ruby na hora do almoço ou em casa.

CONCLUSÃO

De uma forma ou de outra, *todos* os profissionais praticam. Eles o fazem porque se importam com a concretização do melhor trabalho possível. E mais: Eles praticam em seu próprio tempo porque perceberam que é responsabilidade deles, não de seus empregadores, manter suas habilidades em dia. Praticar é aquilo que você faz quando *não está* sendo pago. Você o faz para ser pago e bem pago.

Bibliografia

(K&KR-C): Brian W. Kernighan and Dennis M. Ritchie, *The C Programming Language*, Upper Saddle River, NJ: Prentice Hall, 1975.

(PPP2003): Robert C. Martin, *Agile Software Development: Principles, Patterns and Practices*, Upper Saddle River, NJ: Prentice Hall, 2003.

7 TESTE DE ACEITAÇÃO

O papel do desenvolvedor profissional é tanto de comunicador quanto de desenvolvedor. Lembre-se de que *garbage in/garbage out** se aplica a programadores também, então os profissionais são cuidadosos ao se certificarem de que sua comunicação com outros membros da equipe e do negócio é precisa e saudável.

COMUNICANDO OS REQUERIMENTOS

Um dos problemas de comunicação mais comuns entre os programadores e o pessoal que cuida dos negócios é em relação aos requerimentos. A empresa estabelece o que ela acredita precisar e, então, os programadores constroem o que acreditam que seus empregadores descreveram. Ao menos, assim é como deveria

* Nota do tradutor: famoso axioma no mundo da computação que geralmente é abreviado como GIGO e significa que se um dado inválido entra no sistema, o resultado também será inválido.

funcionar. Na realidade, a comunicação dos requerimentos é extremamente difícil e o processo é cheio de erros.

Em 1979, enquanto trabalhava para a Teradyne, recebi uma visita de Tom, o gerente da instalação e do trabalho de campo. Ele pediu que lhe mostrasse como usar o editor de texto ED-402 para criar um simples sistema trouble ticket.

O ED-402 era um editor patenteado escrito para o computador M365, que era um clone da Teradyne para o PDP-8. Como editor de texto era bastante poderoso. Tinha uma linguagem de script que usávamos para todos os tipos de aplicativos de texto simples.

Tom não era programador. Mas o aplicativo que tinha em mente era simples, então ele pensou que eu poderia ensiná-lo rapidamente de forma que ele próprio pudesse escrevê-lo. Inocentemente, achei a mesma coisa. Afinal, a linguagem de script era pouco mais que uma linguagem macro para os comandos de edição, com construções de decisão e looping bastante rudimentares.

Assim, nos sentamos juntos e perguntei o que ele queria que seu aplicativo fizesse. Ele começou com a tela de entrada. Mostrei como deveria criar um arquivo de texto que suportasse os scripts e como digitar a representação simbólica dos comandos de edição naquele script. Mas quando olhei nos olhos dele, não senti um retorno positivo. Minha explicação simplesmente não havia feito sentido algum para ele.

Aquela foi a primeira vez que isso aconteceu comigo. Para mim, era algo simples representar simbolicamente comandos de editoração. Por exemplo, para representar um comando de controle-B (o comando que coloca o cursor no começo da linha atual) você simplesmente digita ^B no arquivo do script. Mas isso não fazia sentido para Tom. Ele não conseguia fazer a transição de editar um arquivo para editar um arquivo que edita um arquivo.

Tom não era burro. Acho que ele apenas percebeu que aquilo envolveria muito mais do que havia pensado no começo, e que não queria investir o tempo e energia mental necessários para aprender algo tão terrivelmente complicado quanto o uso de um editor para comandar um editor.

Então bit após bit eu me vi implantando esse aplicativo enquanto ele sentava e assistia. Após os primeiros vinte minutos, ficou claro que sua ênfase havia mudado: de aprender como fazer para se certificar de que *eu* faria o que *ele* queria.

Levou o dia inteiro. Ele descrevia um recurso e eu implantava, enquanto ele assistia. O ciclo de tempo era cinco minutos ou menos, então não havia motivo para que ele se levantasse e fosse fazer alguma outra coisa. Ele me pedia para fazer X e em poucos minutos, X estava funcionando.

Com frequência, ele desenhava o que desejava em uma folha de papel. Algumas dessas coisas eram difíceis de ser obtidas no ED-402, então eu propunha algo diferente. Finalmente, concordávamos com algo que funcionaria e eu faria funcionar.

Mas quando estávamos para tentar, ele mudava de ideia. Dizia algo como, "Isso simplesmente não tem o fluxo que eu procurava. Vamos tentar de maneira diferente".

Hora após hora tocávamos, cutucávamos e destrinchávamos aquele aplicativo para que ele tomasse forma. Tentávamos uma coisa, depois outra e mais uma. Tornou-se bastante claro para mim que *ele* era o escultor e eu a ferramenta que estava usando.

No final, ele obteve o aplicativo que desejava, mas não tinha a menor ideia de como construir o próximo sozinho. Eu, por outro lado, aprendi uma lição poderosa sobre como os clientes descobrem, de fato, o que precisam. Aprendi que a visão deles sobre o recurso nem sempre sobrevive ao contato verdadeiro com o computador.

Decisão Prematura

Programadores e o pessoal dos negócios sentem-se tentados em cair na armadilha da decisão prematura. O pessoal dos negócios quer saber exatamente o que irá obter antes de autorizar o projeto. Desenvolvedores querem saber exatamente o que devem entregar antes de estimarem o projeto. Ambos os lados querem uma precisão que simplesmente não pode ser alcançada, e com frequência estão dispostos a gastar uma fortuna tentando obtê-la.

O Princípio da Incerteza

O problema é que as coisas parecem diferentes do que são em um sistema em funcionamento. Quando os empregadores veem aquilo que especificaram funcionando em um sistema, eles percebem que não era o que queriam. Uma vez que veem o requerimento funcionando, eles obtêm uma ideia melhor do que realmente querem – e, em geral, não é aquilo que estão vendo.

Existe um tipo de efeito de observador ou princípio de incerteza em jogo. Quando você demonstra um recurso ao empregador, isso lhe dá mais informações do que antes e essa nova informação impacta na forma como ele vê o sistema como um todo.

No final, quanto mais preciso você torna seus requerimentos, menos relevantes eles se tornam, à medida que o sistema é implantado.

Ansiedade de Estimativa

Os desenvolvedores também podem ser pegos pela armadilha da precisão. Eles sabem que precisam fazer uma estimativa do sistema e, normalmente, acham que isso requer precisão. Não é verdade.

Primeiro, mesmo com informações perfeitas, seu sistema sofrerá grandes variações. Segundo, o princípio da incerteza faz picadinho das precisões preliminares. Os requerimentos *mudarão*, tornando aquela precisão discutível.

Desenvolvedores profissionais entendem que as estimativas podem e devem ser feitas com base em requerimentos de baixa precisão, e reconhecem que tais estimativas são apenas *estimativas*. Para reforçar isso, eles sempre devem incluir barras de erro com suas estimativas, de forma que os empregadores entendam a incerteza (veja o Capítulo 10, "Estimativa").

Ambiguidade Tardia

A solução para a decisão prematura é deferir a precisão ao máximo possível. Desenvolvedores profissionais não enviam seus requerimentos até o momento em que estão prestes a desenvolvê-los. Entretanto, isso pode levar a outro problema: a ambiguidade tardia.

Com frequência, os stakeholders discordam. Quando o fazem, pode ser que eles achem mais fácil fazer valer sua opinião em torno da discordância, em vez de resolvê-la. Encontrarão alguma maneira de entender o requerimento, de forma que todos possam concordar, sem resolver de fato a disputa. Certa vez, escutei Tom

DeMarco dizer, “Uma ambiguidade em um documento de requerimento representa uma discussão entre os stakeholders”[1].

Claro, não é preciso uma discussão ou discordância para gerar ambiguidade. Às vezes, os stakeholders simplesmente assumem que seus leitores sabem o que eles querem dizer. Pode estar perfeitamente claro para eles em seu contexto, mas significar algo completamente diferente para o programador que lê. Esse tipo de ambiguidade contextual também pode ocorrer quando clientes e programadores estão falando cara a cara.

Sam (stakeholder): Ok, agora precisa ser feito backup nos arquivos de log.

Paula: Ok, com qual frequência?

Sam: Diariamente.

Paula: Certo e onde você quer que eles sejam salvos?

Sam: O que você quer dizer?

Paula: Você deseja que eu os salve em um subdiretório particular?

Sam: Sim, isso seria bom.

Paula: Como devemos chamá-lo?

Sam: Que tal backup?

Paula: Tudo bem. Então vamos escrever o arquivo no diretório de backup diariamente. Que horas?

Sam: Todo dia.

Paula: Não, quero dizer que hora do dia ele deve ser escrito?

Sam: Qualquer hora.

Paula: Meio-dia?

Sam: Não, não durante as horas de trabalho. Meia-noite seria melhor.

Paula: Ok, meia-noite então.

Sam: Ótimo, obrigado!

Paula: De nada.

1. XP Immersion 3, May, 2000. http://c2.com/cgi/wiki?TomsTalkAtXpImmersionThree

Mais tarde, Paula está falando sobre a tarefa com seu colega, Peter.

Paula: Ok, precisamos copiar esses arquivos de log em um subdiretório chamado backup todas as noites, à meia-noite.

Peter: Ok, qual nome de arquivo devemos usar?

Paula: log.backup deve servir.

Peter: Certo.

Em um escritório diferente, Sam está ao telefone com um cliente.

Sam: Sim, os arquivos de log serão salvos.

Carl: Ok. É vital que esses logs nunca sejam perdidos. Precisamos rever esses arquivos, mesmo meses ou até anos depois, sempre que existir uma interrupção, evento ou disputa.

Sam: Ok, não se preocupe. Acabei de falar com Paula. Ela salvará os logs em um diretório chamado backup todas as noites, à meia-noite.

Carl: Tudo bem, parece adequado.

Presumo que você tenha detectado a ambiguidade. O cliente espera que todos os arquivos de log sejam salvos e Paula simplesmente achou que eles queriam salvar o arquivo de log da última noite. Quando o cliente for procurar por meses de backups, encontrará somente o arquivo da noite anterior.

Nesse caso, tanto Sam quanto Paula deixaram a bola cair. É responsabilidade dos desenvolvedores profissionais (e stakeholders) se certificarem de que a ambiguidade seja removida completamente dos requerimentos.

Isso é *difícil* e só conheço uma forma de fazê-lo.

TESTES DE ACEITAÇÃO

O termo *teste de aceitação* está obsoleto e é usado em demasia. Algumas pessoas supõem que esses são testes que usuários executam antes de aceitarem um lançamento. Outros acham que são testes da GQ. Neste capítulo definiremos os testes de aceitação como aqueles escritos por uma colaboração dos stakeholders e programadores, a fim de definir *quando um requerimento está cumprido*.

A Definição de "Acabado"

Uma das ambiguidades mais comuns que encaramos como profissionais de software é a ambiguidade do "acabou". Quando um desenvolvedor diz que "acabou" a tarefa, o que ele quer dizer? Ele acabou no sentido de que está pronto para entregar o recurso com plena confiança? Ou ele quer dizer que está pronto para a GQ? Ou talvez ele tenha acabado de escrevê-lo e o colocou para rodar uma vez, porém ainda não o testou de fato.

Trabalhei com equipes que tinham uma definição completamente diferente das palavras "acabado" e "completo". Uma das equipes em particular usava os termos "acabado" e "acabado-acabado".

Desenvolvedores profissionais têm uma única definição para a palavra: Acabado significa acabado. Significa que todos os códigos estão escritos, todos os testes foram passados, e que a GQ e os stakeholders aceitaram. Acabou.

Mas como podemos chegar a esse nível de término e ainda fazer um rápido progresso de iteração a iteração? Você cria um conjunto de testes automatizados que, quando passados, vão de encontro a todos os critérios acima! Quando os testes de aceitação para seu recurso passarem, você acabou.

Desenvolvedores profissionais conduzem a definição de seus requerimentos por todo o percurso, por meio de testes de aceitação automatizados. Eles trabalham com stakeholders e a GQ para assegurar que esses testes automatizados são uma especificação completa do término.

Sam: Ok, agora precisa ser feito backup nos arquivos de log.
Paula: Ok, com qual frequência?
Sam: Diariamente.
Paula: Certo e onde você quer que eles sejam salvos?
Sam: O que você quer dizer?
Paula: Você deseja que eu os salve em um subdiretório particular?
Sam: Sim, isso seria bom.
Paula: Como devemos chamá-lo?
Sam: Que tal backup?
Tom (testador): Espere, backup é um nome muito comum. O que você está armazenando de verdade nesse diretório?
Sam: Os backups.

Tom: De que?

Sam: Dos arquivos de log.

Paula: Mas só existe um arquivo de log.

Sam: Não, existem muitos. Um para cada dia.

Tom: Você quer dizer que há um arquivo de log *ativo* e muitos backups?

Sam: Claro.

Paula: Oh! Achei que você queria apenas um backup temporário.

Sam: Não, o cliente quer mantê-los para sempre.

Paula: Essa é nova para mim. Ok, que bom que esclarecemos.

Tom: Então o nome do subdiretório deve dizer exatamente o que ele contém.

Sam: Ele contém todos os logs antigos inativos.

Tom: Então vamos chamá-lo de `old_inactive_logs`.

Sam: Ótimo.

Tom: Então, quando esse diretório será criado?

Sam: Hein?

Paula: Devemos criar o diretório quando o sistema começar, mas somente se o diretório não existir ainda.

Tom: Ok, esse será nosso primeiro teste. Preciso iniciar o sistema e ver se o diretório `old_inactive_logs` será criado. Aí adicionarei um arquivo a ele. Então irei fechá-lo, reiniciar e, assim, terei certeza de que ambos, diretório e arquivo, ainda estarão ali.

Paula: Esse teste levará muito tempo para rodar. A inicialização do sistema já está em 20 segundos e crescendo. Fora isso, eu realmente não quero ter que construir o sistema inteiro toda vez que rodar um teste de aceitação.

Tom: O que sugere?

Paula: Vamos criar uma categoria `SystemStarter`. O programa principal carregará esse iniciador com um grupo de objetos de `StartupCommand`, que seguirá o padrão de COMANDO. Então, durante a inicialização, o `SystemStarter` simplesmente dirá a todos os objetos do `StartupCommand` para que rodem. Um desses derivativos do `StartupCommand` criará o diretório `old_inactive_logs`, mas somente se ele ainda não existir.

Tom: Ok, então só o que preciso testar é o derivativo do `StartupCommand`. Posso escrever um simples teste FITNESSE para isso. (Tom vai até o quadro) A primeira parte será algo mais ou menos assim:

```
given the command LogFileDirectoryStartupCommand
given that the old_inactive_logs_directory does not exist
when the command is executed
then the old_inactive_logs_directory should exist
and it should be empty
```

"A segunda parte será assim":

```
given the command LogFileDirectoryStartupCommand
given that the old_inactive_logs_directory exists
and that it contains a file named x
when the command is executed
then the old_inactive_logs_directory should still exist
and it should still contain a file named x
```

Paula: Sim, isso deve ser o bastante.

Sam: Uau, tudo isso é mesmo necessário?

Paula: Sam, quais dessas frases não são importantes o bastante para não ser especificadas?

Sam: Só quis dizer que parece ser bastante trabalhoso criar e escrever todos esses testes.

Tom: E é, mas não é mais trabalhoso que escrever um planejamento de teste manual. E é *muito* mais trabalhoso executar repetidamente o teste manual.

COMUNICAÇÃO

O propósito dos testes de aceitação é a comunicação, transparência e a precisão. Ao concordar com eles, os desenvolvedores, stakeholders e testadores entendem qual é o plano para o comportamento do sistema. Chegar a esse tipo de transparência é responsabilidade de todas as partes. Desenvolvedores profissionais tornam responsabilidade sua o trabalho com stakeholders e testadores a fim de garantir que todos estejam cientes do que está prestes a ser construído.

AUTOMAÇÃO

Testes de aceitação *sempre* têm que ser automatizados. Existe um lugar para o teste manual no ciclo de vida do software, mas *esses* tipos de testes nunca devem ser manuais. A razão é simples: custo.

Considere a imagem na Figura 7.1.: As mãos que você vê lá pertencem ao gerente da GQ de uma grande empresa de Internet. O documento que ele está segurando é a tabela de conteúdos do planejamento do teste manual. Ele tem um exército de testadores manuais de diversas localidades que executam esse plano a cada seis semanas. O custo para ele é em torno de 1 milhão de dólares a cada execução. Ele está segurando esse documento porque acabou de retornar de uma reunião em que seu gerente lhe informou que eles precisam cortar seu orçamento em 50%. A pergunta que ele me fez é: "Qual a metade desses testes que eu não devo rodar?".

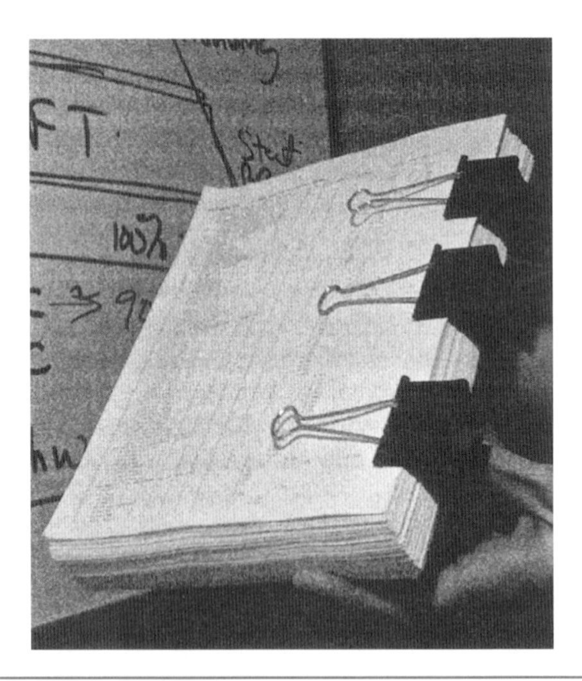

Figura 7.1 Planejamento de teste manual

Chamar isso de desastre seria uma atenuação grosseira. O custo de rodar o planejamento de teste manual é tão enorme que eles decidiram sacrificá-lo e simplesmente viver com o fato de que *eles não saberiam se metade de seus produtos funcionaria*!

Desenvolvedores profissionais não deixam esse tipo de situação ocorrer. O custo de testes automatizados é tão baixo em comparação à execução de testes manuais, que não faz sentido econômico escrever scripts para serem executados por pessoas. Desenvolvedores profissionais assumem a responsabilidade ao garantir que os testes de aceitação sejam automatizados.

Há muitas ferramentas comerciais e de código aberto que facilitam a automação de testes de aceitação. FITNESSE, Cucumber, cuke4duke, robot framework e Selenium são algumas que posso mencionar. Todas elas permitem que você automatize testes, de forma que pessoas que não sejam programadores possam ler, entender e até criar.

TRABALHO EXTRA

O ponto de Sam sobre o trabalho é compreensível. *Realmente* parece muito trabalho a mais escrever testes de aceitação como esse. Mas de acordo com a Figura 7.1 podemos perceber que, no final das contas, não é trabalho extra algum. Escrever esses testes é simplesmente o trabalho de especificar o sistema. Especificar nesse nível de detalhes é a única forma que nós, programadores, temos para saber o que "acabou" significa. É a única forma na qual os stakeholders podem garantir que o sistema pelo qual estão pagando realmente fará o que desejam. É, também, a única forma de automatizar os testes com sucesso. Então, não encare esses testes como trabalho extra. Encare-os como um uso sólido de tempo e poupadores de dinheiro. Esses testes evitarão que você implante o sistema errado, além de ajudá-lo a saber quando *acabou*.

QUEM ESCREVE TESTES DE ACEITAÇÃO E QUANDO?

Em um mundo ideal, os stakeholders e a GQ colaborariam na escrita desses testes, e os desenvolvedores os revisariam para garantir a consistência. No mundo real, os stakeholders raramente têm tempo ou inclinação para mergulhar no nível de detalhes necessário. Portanto, eles normalmente delegam a responsabilidade para os analistas de negócios, a GQ ou, até mesmo, para os desenvolvedores. O resultado é que os desenvolvedores precisam escrever esses testes e tomar cuidado para que o desenvolvedor anterior que o escreveu não seja o mesmo que implementa o recurso testado.

Em geral, analistas de negócios escrevem as versões "caminho feliz" dos testes, porque eles descrevem os recursos que têm valor para o negócio. A GQ geralmente escreve os testes "caminho infeliz", as condições limite, exceções e corner cases. Isso acontece porque o trabalho da GQ é ajudar a pensar sobre o que pode dar errado.

Seguindo os princípios da "precisão tardia", testes de aceitação devem ser escritos o quanto antes, de preferência alguns dias antes que o recurso seja implantado. Nos projetos da Agile, os testes são escritos depois que os recursos são selecionados para a próxima Iteração ou Sprint.

Os primeiros testes de aceitação devem estar prontos no primeiro dia da iteração. Outros devem ser completados a cada dia até o meio da iteração, quando todos eles precisam estar acabados. Se todos os testes de aceitação não estiverem prontos no meio da iteração, então alguns desenvolvedores terão que contribuir para terminá-los rapidamente. Se isso ocorrer com frequência, então mais BAs ou GQs devem ser somados à equipe.

O PAPEL DO DESENVOLVEDOR

O trabalho de implementação de um recurso começa quando os testes de aceitação estão prontos. Os desenvolvedores os executam nos novos recursos e observam se eles falham. Então trabalham para conectar o teste de aceitação ao sistema e fazem com que o teste passe implementando o recurso desejado.

Paula: Peter, você me dá uma mão com esse caso?

Peter: Claro Paula, de que se trata?

Paula: Aqui está o teste de aceitação. Como pode ver, ele está falhando.

```
given the command LogFileDirectoryStartupCommand
given that the old_inactive_logs directory does not exist
when the command is executed
then the old_inactive_logs directory should exist
and it should be empty
```

Peter: Sim, tudo vermelho. Nenhum dos cenários está escrito. Deixa eu escrever o primeiro.

```
|scenario|given the command _|cmd|
|create command|@cmd|
```

Paula: Nós realmente temos uma operação `createCommand`?

Peter: Sim, está no `CommandUtilitiesFixture` que escrevi semana passada.

Paula: Vamos rodar o teste agora.

Peter (roda o teste): Bom, a primeira linha está verde; vamos para a seguinte.

Não se preocupe demais com Cenários e Acessórios. Esses são apenas alguns dos encanamentos que você precisa escrever para conectar os testes ao sistema que está sendo testado. É suficiente dizer que todas as ferramentas fornecerão alguma forma de se utilizar padrões coincidentes para reconhecer e analisar as frases do teste e, então, chamar funções que alimentem os dados no teste para dentro do sistema que está sendo testado. A quantidade de esforço é pequena e os Cenários e Acessórios são reutilizáveis ao longo de vários testes diferentes.

O importante de tudo é que cabe ao desenvolvedor conectar o teste de aceitação ao sistema, e depois fazer com que esses testes passem.

Negociação de Testes e Agressão Passiva

Os criadores de testes são humanos e cometem erros. Às vezes o teste, da forma como foi escrito, não faz muito sentido depois que é implementado. Eles podem ser muito complicados. Podem ser estranhos. Podem conter suposições tolas. Ou podem apenas estar errados. Isso pode ser bastante frustrante se você for o desenvolvedor que precisa fazer com que o teste passe.

Como desenvolvedor profissional é seu trabalho negociar com o autor do teste para obter um teste melhor. O que você *nunca* deve fazer é assumir a postura passiva agressiva e dizer a si próprio, "Bem, isso é o que o teste diz, então isso é o que vou fazer".

Lembre-se de que, como profissional, é sua função ajudar a equipe a criar o melhor software possível. Isso significa que todo mundo tem que estar atento aos erros e deslizes dos demais e trabalharem juntos para corrigi-los.

Paula: Tom, esse teste não está correto.

```
ensure that the post operation finish in 2 seconds.
```

Tom: Parece certo para mim. Nossa exigência é que os usuários não tenham que esperar mais do que dois segundos. Qual o problema?

Paula: O problema é que só podemos dar essa garantia em um sentido estatístico.

Tom: Hein? Isso me parece palavras vazias. A exigência é de dois segundos.

Paula: Certo e podemos atingir isso em 99,5% do tempo.

Tom: Paula, essa não é a exigência.

Paula: Mas é a realidade. Não tem como eu dar a garantia de outra forma.

Tom: Sam vai ficar bravo.

Paula: Na verdade, não. Já falei com ele sobre isso. Tudo bem para ele, contanto que a experiência do usuário *normal* seja de dois segundos ou menos.

Tom: Tudo bem, então como escrevo esse teste? Não posso dizer que a pós-operação *geralmente* leva dois segundos.

Paula: Você diz isso estatisticamente.

Tom: Você está sugerindo que eu rode mil pós-operações e me certifique de que não mais do que cinco tenham duração superior a dois segundos? Isso é absurdo.

Paula: Não, isso levaria mais de uma hora para rodar. Que tal algo assim?

```
execute 15 post transactions and accumulate times.
ensure that the Z score for 2 seconds is at least 2.57
```

Tom: Uau, isso é uma marca Z?

Paula: Só um pouquinho de estatística. Pronto, que tal isto?

```
execute 15 post transactions and accumulate times.
ensure odds are 99.5% that time will be less than 2 seconds.
```

Tom: Sim, isso pode ser lido, mais ou menos, mas posso confiar nessa matemática?

Paula: Vou me certificar de que todos os cálculos intermediários sejam mostrados no relatório de testes, de forma que você possa checar a matemática se tiver quaisquer dúvidas.

Tom: Ok, por mim tudo bem.

TESTES DE ACEITAÇÃO E TESTES DE UNIDADES

Testes de aceitação *não* são testes de unidades. Testes de unidades são escritos *por* programadores *para* programadores. Eles são documentos de design formal que descrevem o nível mais baixo, estrutural e comportamental de um código. São voltados para programadores, não para o pessoal dos negócios.

Testes de aceitação são escritos *pelo* pessoal de negócios *para* o pessoal de negócios (mesmo quando você, o desenvolvedor, acaba escrevendo-os). Eles são documentos de pedidos formais que especificam como o sistema deve se comportar do ponto de vista dos empregadores. São voltados para os empregadores *e* programadores.

Pode ser tentador tentar eliminar o "trabalho extra" ao pressupor que os dois tipos de testes sejam redundantes. Embora seja verdade que ambos, com frequência, testem a mesma coisa, eles não são redundantes.

Primeiro, embora testem as mesmas coisas, o fazem por meio de mecanismos e caminhos diferentes. Testes de unidades cavam as entranhas do sistema fazendo ligações com métodos em categorias particulares. Testes de aceitação invocam os sistemas de forma muito além, em um nível API ou, às vezes, até UI. Então, os caminhos de execução que esses testes tomam são bem distintos.

Mas o verdadeiro motivo pelo qual esses testes não são redundantes é que a função primária deles *não é testar*. O fato de eles serem testes é irrelevante. Testes de unidades e testes de aceitação são primeiramente documentos e depois testes. O propósito primário deles é documentar formalmente o design, a estrutura e o comportamento do sistema. O fato de eles verificarem automaticamente o design, a estrutura e o comportamento que especificam é muito útil, mas a especificação é seu verdadeiro propósito.

GUIs e Outras Complicações

É difícil especificar GUIs de início. Pode ser feito, mas raramente é bem feito. A razão é que as estéticas são subjetivas e, portanto, voláteis. As pessoas querem *dedilhar* com GUIs. Querem massageá-las e manipulá-las. Querem tentar fontes, cores, layouts de páginas e workflows diferentes. GUIs estão constantemente em fluxo.

Isso torna um desafio escrever testes de aceitação para GUIs. O truque é desenhar o sistema de forma que você possa tratar o GUI como se ele fosse um API ao invés de um conjunto de botões, sliders, grades e menus. Isso pode soar estranho, mas na verdade é apenas bom design.

Existe um princípio de design chamado Princípio da Responsabilidade Única (SRP – do inglês, Single Responsibility Principle). Esse princípio estabelece que você deve separar aquelas coisas que mudam por diferentes razões e agrupar as que mudam pelas mesmas razões. GUIs não são exceção.

O layout, o formato e o fluxo de trabalho do GUI mudarão por motivos estéticos e de eficiência, mas a capacidade subjacente do GUI permanecerá a mesma, apesar dessas mudanças. Portanto, quando escrever testes de aceitação para um GUI, você aproveita a vantagem das abstrações subjacentes que não mudam com frequência.

Por exemplo, pode haver diversos botões em uma página. Em vez de criar testes que cliquem nesses botões nas posições em que estão na página, você deve ser capaz de clicar neles com base em seus nomes. Melhor ainda, talvez cada um deles tenha uma ID única que você possa usar. É bem melhor escrever um teste que seleciona o botão cuja ID é `ok_button` do que selecionar o botão na coluna 3, do corredor 4, da grade de controle.

Testando com a Interface Certa

Melhor ainda é escrever testes que invoquem os recursos do sistema subjacente por meio de um API real ao invés de GUI. Esse API deve ser o mesmo usado pelo GUI. Isso não tem nada de novo. Especialistas em design vêm nos dizendo há décadas para separar GUIs de nossas regras de negócios.

Testar pelo GUI é sempre problemático, a não ser que você esteja testando apenas o GUI. A razão é que o GUI provavelmente mudará, deixando os testes frágeis. Quando cada mudança de GUI tiver quebrado mil testes, ou você começará a jogar os testes para o alto ou parará de mudar o GUI. Nenhuma dessas opções são boas. Então escreva regras para testes que passem por um API logo abaixo do GUI.

Alguns testes de aceitação especificam o próprio comportamento do GUI. Esses testes *precisam* passar por ele. Entretanto, eles não testam regras de negócios e, portanto não requerem que elas estejam conectadas ao GUI. Assim, é uma boa ideia dissociar o GUI e as regras de negócios, substituindo as regras por métodos (stubs) ao testar o próprio GUI.

Mantenha os testes de GUI ao mínimo. Eles são frágeis porque o GUI é volátil. Quanto mais testes de GUI houver, menor a probabilidade de mantê-los.

INTEGRAÇÃO CONTÍNUA

Certifique-se de que todos os seus testes de unidades sejam rodados diversas vezes por dia em um sistema de *integração contínua*. Esse sistema precisa ser acionado pelo seu sistema de controle do código-fonte. Sempre que alguém praticar um módulo, o sistema de IC deve começar uma construção e, então, rodar todos os testes no sistema. Os resultados devem ser enviados por e-mail para todos na equipe.

Parem as Prensas

É bastante importante manter os testes de IC rodando sempre. Eles nunca devem falhar. Se falharem, então a equipe inteira deverá parar o que está fazendo e se focar nos testes quebrados para fazer com que passem. Uma construção quebrada no sistema de IC deve ser encarada como uma emergência, um evento do tipo "parem as prensas".

Já dei consultoria às equipes que não levaram testes quebrados a sério. Elas estavam "muito ocupadas" para cuidar dos testes quebrados, então esses foram deixados de lado, com a promessa de serem consertados depois. Em um caso, a equipe chegou a tirar o teste fora da construção porque era muito inoportuno vê-lo falhar. Posteriormente, após ele ter sido enviado ao cliente, eles perceberam que tinham se esquecido de colocar aqueles testes de volta à construção. Souberam disso porque um cliente irado estava lhes telefonando com relatórios de bugs.

Conclusão

A comunicação sobre detalhes é difícil. Isso é especialmente verdadeiro para programadores e stakeholders que se comunicam sobre detalhes do aplicativo. É fácil que cada lado dê de ombros e pressuponha que o outro tenha entendido. Com demasiada frequência, ambos os lados concordam que entenderam e saem com ideias completamente diferentes.

A única forma que conheço para eliminar com eficiência os erros de comunicação entre programadores e stakeholders é escrever testes de aceitação automatizados. Esses testes são formais, não têm qualquer ambiguidade e não podem sair de sincronia com o aplicativo. São documentos requeridos com perfeição.

8 Estratégias de Teste

Desenvolvedores profissionais testam seus códigos. Mas testar não é simplesmente uma questão de escrever alguns testes de aceitação ou testes de unidades. Fazer isso é algo positivo, porém insuficiente. O que toda equipe de profissionais precisa é de uma *boa estratégia*.

Em 1989, eu trabalhava para a Rational durante o primeiro lançamento do Rose. Todo mês ou algo assim, nosso gerente da GQ convocava um dia de "Caça aos Bugs". Todo mundo na equipe, de programadores a gerentes, e de secretários a administradores do banco de dados, sentavam com o Rose e tentavam encontrar falhas. Prêmios dos mais diversos eram concedidos para diferentes bugs. A pessoa que encontrasse um grande defeito poderia ganhar um jantar para dois. A pessoa que encontrasse mais defeitos poderia ganhar um final de semana em Monterrey.

A Garantia de Qualidade (GQ) Não Deverá Encontrar Nada

Já disse isso antes e repito. Embora sua empresa tenha um grupo separado da GQ para testar o software, a meta da equipe de desenvolvimento deve ser que a GQ não encontre nada errado.

Claro, é improvável que essa meta seja atingida constantemente. Afinal, quando você tem um grupo unido de pessoas inteligentes, determinadas a encontrar todas as falhas e deficiências do produto, é quase certo que ele conseguirá. Ainda assim, toda vez que a equipe da GQ encontrar algo, o pessoal do desenvolvimento deve reagir com horror. É preciso que eles se perguntem como aquilo aconteceu e tomem ações para evitar que se repita no futuro.

GQ Faz Parte da Equipe

A seção anterior pode ter feito parecer que a GQ e o Desenvolvimento são estranhos um ao outro, que seu relacionamento é contraditório. Não é essa a intenção. Pelo contrário, ambos devem trabalhar juntos para garantir a qualidade do sistema. A melhor forma de a GQ trabalhar como parte da equipe é agir como especificadores e caracterizadores.

GQ como Especificadores

Deve ser papel da GQ trabalhar com o pessoal de negócios, a fim de criar testes de aceitação automatizados que se tornem os verdadeiros documentos de especificação e requerimentos para o sistema. Iteração após iteração, eles reúnem os requerimentos e os traduzem em testes que descrevem para os desenvolvedores como o sistema deve se comportar (ver Capítulo 7, "Testes de Aceitação"). Em geral, o pessoal de negócios escreve os testes de caminho feliz, enquanto a GQ escreve os testes de caminho infeliz.

GQ como Caracterizadores

O outro papel da GQ é usar a disciplina de testes exploratórios[1] para caracterizar o verdadeiro comportamento dos sistemas e reportar esse comportamento para os desenvolvedores e a empresa. Nesse papel, a GQ não está interpretando os requerimentos. Pelo contrário, está identificando os atuais comportamentos do sistema.

1. http://www.satisfice.com/articles/what_is_et.shtml

A PIRÂMIDE DE TESTES DE AUTOMAÇÃO

Desenvolvedores profissionais empregam a disciplina de Desenvolvimento Guiado por Teste para criar testes de unidades. As equipes usam testes de aceitação para especificarem seus sistemas, além da integração contínua (Capítulo 7) para evitar a regressão. Mas esses testes são só parte da história. Por melhor que seja ter um conjunto de testes de aceitação e testes de unidades, também precisamos de testes com um nível mais alto para assegurar que a GQ não encontrará nada. A Figura 8.1 mostra a Pirâmide de Automação de Teste[2], uma descrição gráfica dos tipos de testes que uma organização de desenvolvimento profissional precisa.

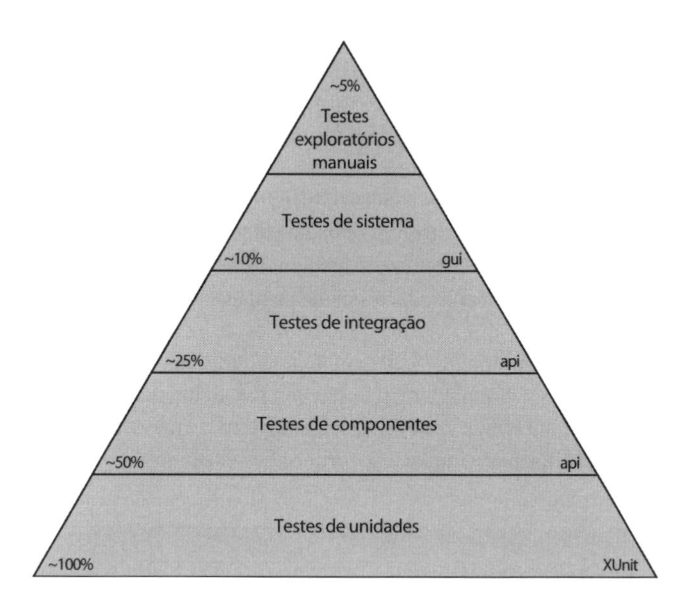

Figura 8.1 A pirâmide de automação de teste

2. [COHN09] PP. 311-312

Testes de Unidades

Na parte mais baixa da pirâmide estão os testes de unidades. Eles são escritos por programadores, para programadores, na linguagem de programação do sistema. A intenção desses testes é especificar o sistema em seu nível mais baixo. Desenvolvedores escrevem esses testes antes de escreverem o código de produção como uma forma para especificar aquilo sobre o que estão escrevendo. Eles são executados como uma parte da Integração Contínua a fim de garantir que a intenção dos programadores seja atingida.

Testes de unidades dão uma cobertura tão próxima a 100% quanto possível. Em geral, esse número deve estar em algum ponto na casa dos 90%. E deve ser uma cobertura *verdadeira*, em oposição aos testes falsos, que executam códigos sem afirmarem seu comportamento.

Testes de Componentes

Estes são alguns dos testes de aceitação mencionados no capítulo anterior. Normalmente, são escritos em oposição aos componentes individuais do sistema. Os componentes do sistema encapsulam as regras da empresa; assim, os testes para aqueles componentes são os testes de aceitação para aquelas regras.

Como mostra a Figura 8.2, um teste de componente envolve um componente. Ele passa dados de entrada para o componente e reúne dados de saída. Ele atesta que a saída combina com a entrada. Qualquer outro componente do sistema é dissociado do teste, utilizando simulações apropriadas e técnicas duplas de testes.

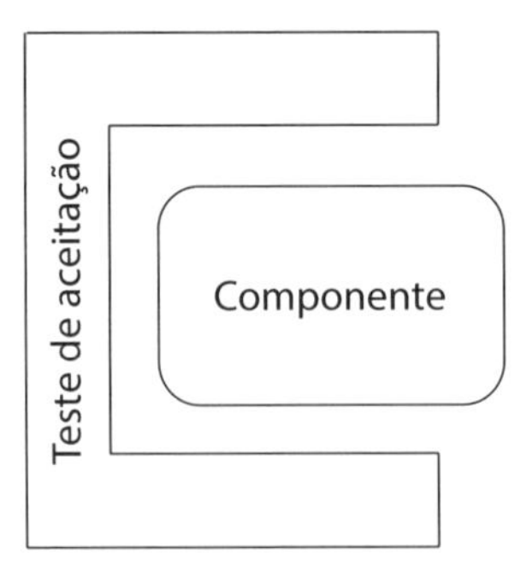

Figura 8.2 Testes de Componentes de Aceitação

Testes de componentes são escritos pela GQ com ajuda do Desenvolvimento. Eles são compostos em um ambiente de teste de componente, como o FITNESSE, JBehave ou Cucumber (componentes GUI são testados com ambientes GUI, como Selenium ou Watir). A intenção é que o pessoal de negócios seja capaz de ler e interpretar esses testes, e até criá-los.

Testes de componentes cobrem, grosseiramente, metade do sistema. Eles são mais direcionados a situações de caminho feliz e casos bastante óbvios, como cantos, fronteiras e caminhos alternativos. A grande maioria de casos de caminhos infelizes é coberta pelos testes de unidades e são insignificantes no nível em que os testes de componentes operam.

TESTES DE INTEGRAÇÃO

Estes testes só fazem sentido para sistemas maiores que têm muitos componentes. Como mostra a Figura 8.3, eles montam grupos de componentes e testam a comunicação uns com os outros. Os outros componentes do sistema são dissociados como sempre, com simulações e testes de duplas apropriados.

Testes de integração são *coreografados*. Eles não testam as regras da empresa. Em vez disso, testam o tanto que a composição dos componentes funciona bem junta. Eles são testes de encanamento que garantem que os componentes estejam apropriadamente conectados e possam se comunicar com clareza entre si.

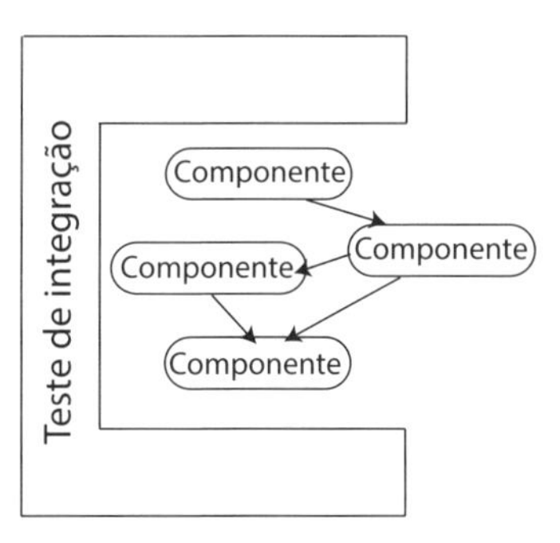

Figura 8.3 Teste de Integração

Testes de integração são tipicamente escritos por arquitetos de sistema ou designers principais do sistema. O teste garante que a estrutura arquitetônica do sistema seja sólida. É nesse nível que podemos ver os testes de desempenho e a taxa de transferência.

Testes de integração são escritos tipicamente na mesma linguagem e ambiente que testes de componentes. Eles *não* costumam ser executados como parte do conjunto de Integração Contínua porque, com frequência, têm tempos de execução mais longos. Em vez disso, esses testes são executados periodicamente (toda noite, toda semana etc.), conforme seus autores julgarem necessário.

Testes de Sistema

Esses são testes automatizados executados em oposição ao sistema integrado completo. São os testes de integração definitivos. Eles não testam as regras da empresa diretamente. Mas testam que o sistema tenha sido cabeado corretamente, e que suas partes estejam interoperando conforme o planejado. Espera-se ver testes de desempenho e taxa de transferência nesse grupo.

Esses testes são escritos pelos mesmos arquitetos de sistema e principais técnicos. Costumam ser feitos na mesma linguagem e ambiente que os testes de integração para a UI (User Interface)*. São executados com menos frequência, dependendo da duração, porém quanto mais frequentes, melhor.

Testes de sistema cobrem por volta de 10% do sistema. Isso porque a intenção deles não é garantir o comportamento correto do sistema, mas sim sua *construção* correta. O comportamento correto do código subjacente e dos componentes já foi estabelecido pelas camadas inferiores da pirâmide.

Testes Exploratórios Manuais

Aqui é onde as pessoas colocam as mãos nos teclados e os olhos na tela. Esses testes não são automatizados, muito menos escritos. A intenção deles é explorar o sistema em busca de comportamentos inesperados, ao mesmo tempo em que comportamentos esperados são confirmados. Nos aproximando do final, precisamos

* Nota do tradutor: no português, Interface do Usuário.

de cérebros humanos com criatividade para investigar e explorar o sistema. Criar um plano de teste escrito para esse tipo de teste acabaria com seu propósito.

Algumas equipes têm especialistas para este trabalho. Outras, simplesmente declaram um dia ou dois de "caça aos bugs", nos quais o máximo de pessoas possível, incluindo gerentes, secretários, programadores, testadores e programadores de tecnologia, testam o sistema para ver se conseguem fazer com que ele trave.

A meta não é cobertura. Não queremos comprovar cada regra da empresa e cada caminho de execução com esses testes. O que desejamos é garantir que o sistema se comporte bem sob operação humana, e encontrar criativamente tantas "peculiaridades" quanto possível.

CONCLUSÃO

TDD é uma disciplina poderosa e Testes de Aceitação são formas valiosas de expressar e reforçar seus requerimentos. Mas eles são apenas parte da estratégia completa. Para atingir a meta de que "a GQ não poderá encontrar nada", as equipes do Desenvolvimento precisam trabalhar lado a lado com a GQ a fim de criar uma hierarquia de testes de unidades, componentes, integração, sistema e testes exploratórios. Esses testes devem ser rodados com o máximo de frequência possível para dar feedback e garantir que o sistema permaneça continuamente limpo.

BIBLIOGRAFIA

[CON09]: Mike Cohn, *Succeding with Agile*, Boston, MA: Addison-Wesley, 2009.

9 GERENCIAMENTO DE TEMPO

Oito horas é um período de tempo notavelmente curto. São apenas 480 minutos ou 28.800 segundos. Como profissional, se espera que você use esses preciosos segundos da forma mais eficiente possível. Qual pode ser sua estratégia para garantir que não desperdice o pouco tempo de que dispõe? Como você pode gerenciar o tempo de maneira eficaz?

Em 1986 eu vivia em Little Sandhurts, na Inglaterra. Estava administrando um departamento com 15 pessoas para o desenvolvimento de um software para a Teradyne, em Bracknell. Meus dias eram lotados de chamadas telefônicas, reuniões improvisadas, problemas com questões de campo e interrupções. Então, para conseguir que qualquer coisa fosse feita, tive que adotar algumas disciplinas drásticas para gerenciar meu tempo.

- Acordava às cinco da manhã e ia de bicicleta até o escritório em Braknell, onde chegava por volta das seis. Isso me dava duas horas e meia de quietude antes que o caos diário começasse.
- Assim que chegava, escrevia um roteiro em meu quadro. Dividia o tempo com acréscimos de 15 minutos e preenchia a atividade na qual trabalharia durante aquela quantidade de tempo.
- Preenchia completamente as 3 primeiras horas daquela agenda. A partir das 9h, deixava uma lacuna de 15 minutos por hora; daquela forma, eu poderia empurrar rapidamente a maior parte das interrupções para uma dessas lacunas abertas e, assim, continuar o trabalho.
- Deixava o horário após o almoço sem anotação porque sabia que, àquela altura, a demanda estaria infernal e eu precisaria estar em modo reativo pelo resto do dia. Durante as raras tardes em que o caos não se instaurava, simplesmente trabalhava na ação mais importante até que ele chegasse.

Esse esquema nem sempre dava certo. Acordar às cinco nem sempre era viável e, às vezes, o caos acabava com todas as minhas cuidadosas estratégias, consumindo meu dia. Mas durante a maior parte do tempo fui capaz de manter minha cabeça no lugar.

REUNIÕES

Reuniões custam em torno de U$ 200 a hora por participante. Isso leva em conta salários, benefícios, facilidades, custos e assim por diante. Da próxima vez que estiver em uma reunião, calcule os custos. Você ficará surpreso.

Há duas verdades sobre uma reunião:

1. Reuniões são necessárias.
2. Reuniões são um enorme desperdício de tempo.

Com frequência, essas duas verdades descrevem a mesma reunião. Algumas pessoas que participam delas podem achá-las valiosas; outras podem pensar que são excessivas ou inúteis.

Profissionais têm ciência do alto custo de reuniões. Também sabem que seu tempo é precioso; eles têm códigos para escrever e compromissos para cumprir. Portanto, resistem ativamente a ir a reuniões que não tragam um benefício significativo e imediato.

RECUSANDO

Você não precisa participar de toda reunião para a qual é chamado. Na verdade, é falta de profissionalismo ir a muitas reuniões. Você precisa usar seu tempo sabiamente. Então tenha bastante cuidado com as reuniões de que participa e as que deve educadamente recusar.

A pessoa que o chama para uma reunião não é responsável pelo gerenciamento do seu tempo. Portanto, quando receber um convite, não aceite, a menos que sua participação seja significativamente necessária para o trabalho que está realizando.

Às vezes, a reunião será sobre algo que é de seu interesse, porém não é imediatamente necessária. Você terá que decidir se pode se dar o luxo de dispor daquele tempo. Seja cuidadoso: poderá haver um número mais que suficiente de reuniões como essa para consumir seus dias.

Em outras ocasiões, a reunião será sobre algo com o qual você pode contribuir, mas que não seja imediatamente significativo para aquilo que está fazendo no momento. Você terá que decidir se a perda para seu projeto é compensadora para os demais. Isso pode soar cínico, mas sua primeira responsabilidade é com *seu* projeto. Ainda assim, costuma ser bom para uma equipe ajudar outra; logo, discutir sua participação na reunião com sua equipe e a gerência pode ser saudável.

Às vezes, sua presença será requisitada por alguém com autoridade, como um engenheiro sênior de outro projeto ou o gerente de um projeto diferente. Você precisará decidir se essa autoridade supera sua agenda de trabalho. Como disse antes, sua equipe e o supervisor podem ser de grande valia para ajudá-lo a tomar essa decisão.

Uma das tarefas mais importantes de seu gerente é mantê-lo *fora* de reuniões. Um bom gerente estará mais que disposto a defender sua decisão de não tomar parte porque ele está tão preocupado com seu tempo quanto você.

SAINDO

Reuniões nem sempre seguem conforme planejadas. Não raro, você se encontra sentado em uma reunião que teria recusado se soubesse o que aconteceria. Às vezes, novos tópicos são adicionados ou algum pentelho domina a discussão. Ao longo dos anos, desenvolvi uma regra simples: quando a reunião fica chata, saia.

Você tem a obrigação de gerenciar bem sua equipe. Se estiver preso em uma reunião que não faz bom uso do seu tempo, precisa encontrar uma maneira educada de deixá-la.

Obviamente, você não deve explodir no meio da reunião dizendo, "Isso tá um saco!". Não há necessidade de ser rude. Em um momento oportuno, você pode simplesmente perguntar se sua presença ali ainda é necessária. Explique que não pode mais perder tempo e veja se existe alguma maneira de agilizar a discussão ou colocar ordem no planejamento.

O importante é perceber que permanecer em uma reunião que se tornou perda de tempo e para a qual você não pode mais contribuir significativamente é falta de profissionalismo. Você tem a obrigação de usar sabiamente o tempo e dinheiro de seu empregador, então é adequado escolher um bom momento para negociar sua saída.

TENHA UMA PROGRAMAÇÃO E UMA META

O motivo pelo qual estamos dispostos a suportar os custos de reuniões é porque, às vezes, *realmente* precisamos dos participantes juntos em uma sala para ajudar a atingir uma meta específica. Para usar o tempo dos participantes sabiamente, a reunião precisa ter uma ordem clara, com tempo de duração para cada tópico e uma meta estabelecida.

Se você for chamado para uma reunião, certifique-se de que saiba quais discussões serão abordadas, quanto tempo foi alocado para elas e qual meta deverá ser atingida. Se não puder obter uma resposta clara sobre esses itens, então a recuse educadamente.

Se você for a uma reunião e perceber que a programação foi desviada ou abandonada, deve solicitar que um novo tópico seja abordado. Se isso não acontecer, deverá sair assim que possível.

REUNIÕES EM PÉ

Essas reuniões fazem parte da rotina da Agile. O nome delas vem do fato de os participantes terem de ficar em pé durante o encontro. Cada participante responde a três questões:

1. O que eu fiz ontem?

2. O que eu farei hoje?

3. O que está em meu caminho?

Isso é tudo. Cada questão não pode levar *mais do que* vinte segundos, então cada participante não pode levar mais que um minuto. Mesmo em um grupo de dez pessoas, essa reunião deve acabar bem antes que dez minutos tenham se passado.

REUNIÕES PARA O PLANEJAMENTO DE ITERAÇÕES

Essas são as reuniões mais difíceis de correrem bem na rotina da Agile. Se forem mal arquitetadas, elas levam tempo demais. É necessário habilidade para fazer com que funcionem, uma habilidade que vale a pena ser aprendida.

Reuniões para o planejamento de iterações são destinadas à seleção dos itens reservas que serão executados na próxima iteração. As estimativas já devem ter sido feitas para os itens candidatos. As avaliações do valor do negócio já devem estar prontas. Em organizações realmente boas, os testes de aceitação/componentes já estarão escritos ou, ao menos, rabiscados.

A reunião deverá seguir rapidamente, com cada item reserva candidato sendo brevemente discutido/selecionado ou rejeitado. Não deve ser gasto mais do que cinco ou dez minutos para cada item. Se uma discussão mais longa for necessária, ela deverá ser agendada para outra ocasião com um subconjunto da equipe.

Minha regra é que a reunião deverá levar não mais do que 5% do tempo total da iteração. Então, para uma semana de iteração (quarenta horas), a reunião deve estar concluída em duas horas.

ITERAÇÃO RETROSPECTIVA E DEMO

Essas reuniões são conduzidas no final de cada iteração. Membros da equipe discutem o que deu certo e o que deu errado. Os stakeholders assistem uma demo dos novos recursos funcionando. Essas reuniões podem ser bastante abusivas e sugar grande parte de seu tempo, então agende-as para 45 minutos antes do término do expediente, no último dia da iteração. Aloque não mais que 20 minutos para a retrospectiva e 25 minutos para a demo. Lembre-se de que se passaram apenas uma ou duas semanas, então não há tanto assim para se conversar.

DISCUSSÕES/DISCORDÂNCIAS

Certa vez, Kent Beck me disse algo profundo: "Qualquer discussão que não puder ser resolvida em cinco minutos não pode ser resolvida pela discussão". A razão dela durar tanto é que não existem evidências claras dando suporte a ambos os lados. O argumento provavelmente é religioso, em oposição ao factual.

Discordâncias técnicas tendem a extrapolar a estratosfera. Cada lado tem todos os tipos de justificativas para sua posição, mas raramente algum dado. Sem dados, qualquer discussão que não gere uma concordância em cinco minutos simplesmente não irá gerar concordância alguma. A única coisa a ser feita é obter mais dados.

Algumas pessoas tentarão vencer uma discussão pela força. Elas podem gritar, enfiar o dedo na sua cara ou agir de forma condescendente. Não importa; força de vontade não resolve discussões por muito tempo. Dados sim.

Outras pessoas serão passivo-agressivas. Concordarão só para terminar a discussão e, então, sabotarão o resultado ao se recusarem a tomar parte da solução. Dirão a si próprias, "Essa é a forma que eles querem e agora vão ter o que merecem". Provavelmente esse é o pior tipo de comportamento antiprofissional que existe. Nunca faça isso. Se você concorda, então *tem* que subir a bordo.

Como você obtém os dados necessários para resolver uma discussão? Às vezes, pode fazer experimentos ou alguma simulação, ou modelagem. Em outros casos, a melhor alternativa é simplesmente jogar uma moeda para o alto para escolher um dos dois caminhos em questão.

Se as coisas derem certo, então o caminho era funcional. Se você se meter em problemas, pode voltar atrás e tomar outra direção. Seria sábio concordar com um período de tempo e critérios para determinar quando o caminho escolhido deve ser abandonado.

Tenha cuidado com reuniões que são apenas um foro para desafogar uma discordância e para conseguir apoio para um lado ou outro. Evite aquelas em que só um dos lados está presente.

Se uma discussão precisa realmente ser terminada peça para que cada um dos argumentadores apresente seu caso para a equipe em cinco minutos ou menos. Então coloque em votação. A reunião inteira levará menos que quinze minutos.

Foco-Mana

Perdoe-me se esta seção tem uma cara de metafísica New Age ou talvez de Dungeon & Dragons. Acontece que essa é a forma como penso neste assunto.

Programação é um exercício intelectual que requer períodos extremos de foco e concentração. Foco é um recurso escasso parecido com o mana[1]. Depois de gastar seu foco-mana é preciso recarregá-lo ao fazer algumas atividades que não requerem foco por uma hora ou mais.

Não sei o que esse foco-mana é, mas tenho a sensação de que se trata de uma substância física (ou possivelmente a falta dela) que afeta o estado de alerta e atenção. Seja o que for, é possível *sentir* quando ela está lá e também quando se vai. Desenvolvedores profissionais aprendem a administrar seu tempo para aproveitarem a vantagem do foco-mana. Escrevemos código quando ele está alto e fazemos outras coisas menos produtivas quando não está.

Foco-mana também é um recurso que decresce. Se você não o usa quando está presente, corre o risco de perdê-lo. Esse é um dos motivos pelos quais reuniões podem ser tão prejudiciais. Se usar todo o seu foco-mana em uma reunião, não terá nenhum sobrando para codificar.

Preocupações e distrações também consomem o foco-mana. A briga que teve com sua esposa na noite anterior, a batida que deu no para-lama pela manhã, ou a conta que se esqueceu de pagar semana passada; tudo sugará seu foco-mana rapidamente.

1. Mana é um bem comum em RPGs de fantasia como Dungeon & Dragons. Todos os jogadores têm determinada quantidade de mana, que é uma substância mágica gasta sempre que o jogador lança um feitiço. Quanto mais potente o feitiço for, mais mana daquele jogador é consumido. O mana é recarregado a uma taxa diária lenta. Então é fácil usá-lo por completo com apenas alguns feitiços sendo lançados.

Sono

Não posso enfatizar suficientemente a importância disso. Meu foco-mana está no ápice após uma boa noite de sono. Sete horas de sono com frequência me dão oito horas de foco-mana. Desenvolvedores profissionais gerenciam sua programação de sono para garantir que estarão em plena forma quando chegarem ao trabalho na manhã seguinte.

Cafeína

Sem dúvida que alguns de nós se tornam mais eficientes ao consumir quantidades moderadas de cafeína. Porém, cuidado. Cafeína também causa uma estranha variação em seu foco. O consumo exagerado pode mandar seu foco para muitas direções estranhas. Uma dose realmente forte de cafeína pode fazer com que você desperdice um dia inteiro de hiperfoco em coisas erradas.

O uso de cafeína e sua tolerância é coisa pessoal. Minha preferência é uma xícara forte pela manhã e uma coca diet no almoço. Às vezes eu dobro essa dose, mas raramente faço mais que isso.

Recarregando

Foco-mana pode ser parcialmente recarregado pela falta de foco. Uma longa caminhada, uma conversa entre amigos, dar um tempo olhando pela janela podem ajudar a retroagir o foco-mana.

Algumas pessoas meditam. Outras tiram uma poderosa soneca. Há outras que escutam um podcast ou leem uma revista.

Descobrimos que, uma vez que o mana se vai, não dá para você forçar o foco. Você ainda pode escrever códigos, mas é quase certo que terá que reescrevê-los no dia seguinte ou viver com uma massa podre durante semanas ou meses. Então é melhor levar trinta ou até sessenta minutos para relaxar.

Foco Muscular

Há algo peculiar em desempenhar disciplinas físicas como artes marciais, tai-chi ou ioga. Ainda que essas atividades requeiram um foco significativo, ele é de um tipo diferente da codificação. Não é intelectual, é muscular. E de algum modo, o foco muscular ajuda a recarregar o foco mental. Contudo, é mais do que uma simples recarga. Penso que um regime regular de foco muscular aumenta minha capacidade de foco mental.

A forma que escolhi para o foco muscular é andar de bicicleta. Ando por uma hora ou duas, às vezes cobrindo de vinte a trinta milhas. Ando em uma trilha que segue paralela ao Rio Plaines, de forma que não preciso ter que lidar com carros.

Enquanto pedalo, escuto podcasts sobre astronomia e política. Às vezes, apenas ouço minhas músicas favoritas; em outras, desligo os fones de ouvido e fico escutando os sons da natureza.

Algumas pessoas gostam de fazer trabalhos manuais. Marcenaria, jardinagem ou construção de modelos. Qualquer que seja, há alguma coisa com relação às atividades que se focam nos músculos que aumenta a habilidade de trabalhar com a mente.

Absorção versus Vazão

Outra coisa que acho essencial para o foco é equilibrar a vazão com a absorção apropriada. Escrever softwares é um exercício *criativo*. Percebo que sou mais criativo quando sou exposto à criatividade de outras pessoas. Então leio ficção científica. A criatividade daqueles autores, de alguma forma, estimula a minha.

Aproveitamento de Tempo e Tomates

Uma forma bastante eficiente que eu usava para administrar meu tempo e foco é a notória Técnica Pomodoro[2], também conhecido como tomate. A ideia básica é bem simples. Você programa um timer padrão de cozinha (tradicionalmente feito na forma de um tomate) para 25 minutos. Enquanto aquele timer estiver rodando, não deixe que *nada* interfira naquilo que estiver fazendo. Se o telefone tocar,

2. http://www.pomodorotechnique.com/

atenda e peça delicadamente para a pessoa telefonar em 25 minutos. Se alguém interrompê-lo para fazer uma pergunta, peça que a pessoa retorne mais tarde. Independentemente de qual seja a interrupção, você simplesmente a defere até que seu timer toque. Afinal, poucas interrupções são tão urgentes a ponto de não poderem esperar 25 minutos.

Quando o timer tocar, pare *imediatamente* o que estiver fazendo. Você então, lida com as interrupções que ocorreram durante o período do tomate. Depois faça uma pausa de cerca de cinco minutos. A seguir, programe o timer para mais 25 minutos e começe o tomate seguinte. A cada quatro tomates, você faz uma pausa maior, em torno de 30 minutos.

Há bastante material escrito sobre essa técnica e sugiro que você o leia. Contudo, a descrição acima deve ser o suficiente para capturar sua essência.

Ao usar essa técnica, seu tempo é dividido em tomate e não tomate. O tempo tomate é produtivo. É dentro dos tomates que você consegue que o trabalho de verdade seja feito. O tempo fora do tomate é para distrações, reuniões, pausas ou qualquer outro tempo que não seja usado em suas tarefas.

Quantos tomates você consegue em um dia? Em um dia bom é possível que você consiga 12 ou até 14 tomates. Em um dia conturbado pode ser que consiga só três ou quatro. Se você contá-los e colocá-los em um gráfico, rapidamente perceberá quanto de seu dia foi produtivo e o quanto gastou fazendo apenas "coisas".

Algumas pessoas ficam tão confortáveis com essa técnica que estimam suas tarefas em tomates e medem sua velocidade semanal de tomates. Mas isso é apenas a cobertura do bolo. O benefício verdadeiro da Técnica Pomodoro é aquela janela de 25 minutos em que o tempo é produtivo, e que você defende agressivamente de qualquer interrupção.

Evitar

Às vezes, seu pensamento simplesmente não está no trabalho. Pode ser que aquilo que precisa fazer é assustador, desconfortável ou chato. Talvez você ache que o resultado o forçará a um confronto ou o levará a um inescapável buraco de rato. Ou quem sabe você apenas não queira fazê-lo.

Inversão de Prioridades

Qualquer que seja o motivo, você encontrará formas de evitar o trabalho de verdade. Você se convencerá de que outra coisa é mais urgente e optará por fazê-la. Isso é chamado de *inversão de prioridades*. Você eleva a prioridade de uma tarefa, adiando aquela que tem prioridade. Inversões de prioridades são mentiras que contamos para nós mesmos. Não podemos encarar o que precisa ser feito, então nos convencemos de que outra tarefa é mais importante. Sabemos que não é, mas contamos essa mentira.

Na verdade, não estamos mentindo para nós mesmos. O que estamos realmente fazendo é nos preparando para a mentira que contaremos quando alguém nos perguntar o que estamos fazendo e por quê. Estamos criando uma defesa para nos proteger do julgamento dos outros.

Evidentemente, esse é um comportamento nada profissional. Profissionais avaliam a prioridade de cada tarefa, desprezando seus medos e desejos pessoais, e executam essas tarefas em ordem de prioridades.

Becos sem Saída

Becos sem saída são um fato da vida para todos os artesãos de software. Em certas ocasiões, você tomará uma decisão e vagará por um caminho que não leva a lugar algum. Quanto mais investido estiver em sua decisão, mais vagará pelo lado selvagem. Se você tiver apostado sua reputação profissional, poderá vagar para sempre.

Prudência e experiência irão ajudá-lo a evitar certos becos sem saída, mas jamais poderá evitar todos. Assim, a verdadeira habilidade é perceber rapidamente quando estiver em um e ter coragem de voltar atrás. Isso costuma ser chamado de *A Regra dos Buracos*: quando estiver dentro de um, pare de cavar.

Profissionais evitam investir demais em uma ideia a ponto de não conseguirem abandoná-la e voltar atrás. Eles mantêm a mente aberta para outras ideias para que, quando chegarem a um beco sem saída, ainda tenham opções.

ATOLEIROS, LAMAÇAIS E PÂNTANOS

Piores do que os becos sem saída são os lamaçais. Eles o atrasam, mas não o param. Impedem seu progresso, mas você ainda consegue algum por meio da força bruta. Lamaçais são piores que becos sem saída porque você sempre consegue enxergar o caminho à sua frente, e ele sempre parece ser mais curto que o caminho de volta (mas não é).

Já vi produtos serem arruinados e empresas destruídas por lamaçais de software. Vi a produtividade de equipes diminuírem de canções alegres a hinos fúnebres em poucos meses. Nada tem um efeito negativo mais profundo ou duradouro na produtividade de uma equipe de software do que um lamaçal. Nada.

O problema é que começar um lamaçal, assim como um beco sem saída, é inevitável. A experiência e prudência podem ajudar a evitá-los, mas eventualmente você tomará uma decisão que o levará a eles.

Essa progressão de tamanha bagunça é traiçoeira. Você cria uma solução para um problema comum, sendo cuidadoso para manter o código simples e claro. À medida que o problema cresce em escopo e complexidade, você aumenta aquele código base, mantendo-o o mais limpo possível. A certa altura, percebe que fez uma escolha errada de design quando começou e que seu código não escala bem na direção que as exigências estão direcionadas.

Esse é o ponto de inflexão! Você ainda pode voltar e consertar o design. Mas também pode seguir em frente. Voltar atrás pode parecer mais caro porque terá que retrabalhar o código já existente, mas esse é o momento em que recomeçar será mais fácil. Se você seguir em frente, levará o sistema a um pântano do qual não poderá mais sair.

Profissionais temem bagunças bem mais do que becos sem saída. Eles estão sempre atentos a lamaçais que começam a crescer sem limites e fazem o que for necessário para escapar deles o quanto antes.

Seguir em frente por um pântano quando você *sabe* que está em um pântano é o pior tipo de inversão de prioridade. Ao seguir em frente, você mente para si próprio, para sua equipe, a empresa e o cliente. Está dizendo a todos que tudo vai ficar bem quando, na verdade, você está indo na direção de um destino condenado.

Conclusão

Profissionais de software são cuidadosos no gerenciamento de seu tempo e foco. Eles entendem as tentações da inversão de prioridades e lutam contra elas como se fosse uma questão de honra. Mantêm suas opções em aberto ao deixar a mente aberta para soluções alternativas. Nunca investem tanto em uma solução ao ponto de não conseguirem abandoná-la. Estão sempre alertas para bagunças crescentes e as limpam assim que são reconhecidas. Não há visão mais triste do que uma equipe de desenvolvedores de software trabalhando em vão para se afundar em um atoleiro cada vez mais profundo.

10 ESTIMATIVA

Estimativa é uma das atividades mais simples, porém mais assustadoras, que o profissional de software enfrenta. Grande parte do valor do negócio depende dela. Muitas reputações cavalgam sobre ela. Parte de nossa ansiedade e fracassos são causados por ela. É o cunho primário que faz a ponte entre o pessoal de negócios e os desenvolvedores. É a fonte de quase todas as desconfianças que governam essa relação.

Em 1978, eu era o desenvolvedor líder para um programa de 32K embutido em Z-80 e escrito na linguagem Assembly. O programa foi gravado em 32 chips de 1K x 8 EEprom. Esses 32 chips foram inseridos em três placas, sendo que cada uma suportava 12 chips.

Tínhamos centenas de dispositivos em campo instalados em escritórios de telefonia centrais por todos os EUA. Sempre que consertávamos um defeito ou adicionávamos um recurso, precisávamos enviar técnicos que fizessem serviço de campo para essas unidades a fim de que eles substituíssem os 32 chips.

Isso era um pesadelo. Os chips e placas eram frágeis. Os pinos nos chips podiam entortar e quebrar. A flexão constante das placas podia danificar as junções da solda. Os riscos de danos eram enormes. O custo para a empresa era demasiadamente alto.

Meu chefe, Ken Finder, veio a mim e me pediu que desse um jeito nisso. Ele queria uma forma de fazer a mudança para um chip que não precisasse que todos os demais chips fossem alterados. Se você leu meus livros ou escutou minhas palestras, sabe que falo muito sobre uma posição independente. Foi aqui que aprendi essa lição pela primeira vez.

Nosso problema era que o software era um único executável vinculado. Se uma nova linha de código fosse adicionada ao programa, todos os endereços das linhas seguintes do código mudariam. Uma vez que cada chip simplesmente tinha 1K de espaço para o endereço, os conteúdos de quase todos os chips mudariam.

A solução era bem simples. Cada chip devia ser dissociado dos demais. Cada qual tinha que ser transformado em uma unidade de compilação independente, que pudesse ser gravada independentemente das demais.

Então, medi os tamanhos de todas as funções no aplicativo e escrevi um programa simples para que elas se encaixassem como um quebra-cabeça dentro de cada um dos chips, deixando em torno de 100 bytes de espaço para a expansão. No começo de cada chip coloquei uma tabela de ponteiros para todas as funções daquele chip. Na inicialização, esses ponteiros eram movidos para a RAM. Todo o código no sistema era mudado, de forma que as funções só eram chamadas pelos vetores RAM e nunca diretamente.

Sim, você entendeu. Os chips eram objetos com *vtables*. Todas as funções eram desenvolvidas de maneira polimórfica. E sim, foi assim que aprendi alguns dos princípios de OOD, muito antes de saber o que era um objeto.

Os benefícios foram enormes. Não só conseguimos implantar chips individuais, como também fizemos caminhos no campo ao mover as funções para a RAM e redirecionar os vetores. Isso facilitou a depuração de campo e os atalhos.

Mas perdi a noção. Quando Ken chegou até mim e pediu que solucionasse o problema, ele sugeriu algo sobre ponteiros para funções. Passei um ou dois dias formalizando a ideia e a apresentei com um plano detalhado. Ele perguntou quanto tempo levaria e respondi que em torno de um mês.

Levou *três* meses.

Só fiquei bêbado duas vezes na minha vida, e só em uma delas *realmente* bêbado. Foi na festa de Natal da Teradyne, em 1978. Tinha 26 anos de idade.

A festa aconteceu no escritório da Teradyne que, em sua maior parte, era um espaço aberto de laboratório. Todo mundo chegou cedo e houve uma grande nevasca que impediu a banda e o fornecedor de aparecerem. Felizmente, estava cheio de bebidas.

Não me lembro de muito daquela noite. E o que lembro, preferia ter esquecido. Mas partilharei um momento marcante com você.

Estava sentado de pernas cruzadas com Ken (meu chefe que, na época, tinha 29 anos e não estava bêbado) no chão, choramingando sobre o tempo que o trabalho de vetorização estava levando. O álcool havia liberado meus medos e inseguranças reprimidas sobre a estimativa. Não acho que minha cabeça estava no colo dele, mas minha memória não é muito clara sobre todos os detalhes.

Recordo-me de ter lhe perguntado se estava irritado comigo e se ele achava que eu estava demorando demais. Embora a noite estivesse confusa, sua resposta me permaneceu clara por todas as décadas que se seguiram. Ele disse, "Sim, acho que você está levando tempo demais, mas posso ver que está trabalhando firme nisso e fazendo progresso. É algo que realmente precisamos então, não. Não estou irritado".

O Que é Uma Estimativa

O problema é que enxergamos estimativas de formas diferentes. A empresa gosta de ver estimativas como comprometimentos. Desenvolvedores gostam de vê-las como palpites. A diferença é profunda.

Um Comprometimento

Um comprometimento é algo que você precisa atingir. Se você se comprometeu a entregar algo em determinada data, então simplesmente *tem* que cumprir o prometido. Se isso significa trabalhar 12 horas por dia, em finais de semana, pulando feriados então, que assim seja. Você fez o compromisso, então honre-o.

Profissionais não se comprometem a menos que *saibam* que podem cumprir o prometido. É simples assim. Se pedirem que se comprometa com algo que não tem certeza de que conseguirá fazer, então você tem a obrigação moral de recusar. Se pedirem que se comprometa com uma data que você sabe que *pode* ser atingida, mas exigiria horas a mais, finais de semanas e feriados, então a escolha é sua; mas é bom que você esteja disposto a fazer o necessário.

Comprometimento tem a ver com *certeza*. Outras pessoas aceitarão seus compromissos e começarão a fazer planos em cima deles. O custo de perder isso tudo, para elas e para sua reputação, é enorme. Perder um comprometimento é um ato desonesto, somente um pouco menos oneroso do que uma mentira deslavada.

Uma Estimativa

Uma estimativa é um palpite. Não há comprometimento implicado. Nenhuma promessa foi feita. Perder uma estimativa não é desonra de forma alguma. O motivo pelo qual fazemos estimativas é porque *não sabemos* quanto tempo algo levará.

Infelizmente, a maioria dos desenvolvedores de software é péssima em estimar. Não pelo fato de que existe algum tipo de habilidade secreta na arte da estimativa, pois não há. O motivo pelo qual somos tão péssimos em estimativas é porque não entendemos a verdadeira natureza delas.

Uma estimativa não é um número. É uma *distribuição*. Considere:

Mike: Qual é sua estimativa para completar o trabalho Frazzle?

Peter: Três dias.

Peter realmente conseguirá acabar em três dias? É possível, mas qual a probabilidade? A resposta é: não temos ideia. O que Peter quis dizer e o que Mike aprendeu? Se Mike retornar em três dias, ele deveria se surpreender se Peter não tiver acabado? Por quê? Peter não se comprometeu, ele não disse a probabilidade de três, ou quatro, ou cinco dias.

O que teria acontecido se Mike tivesse perguntado a Peter qual a probabilidade de sua estimativa de três dias?

Mike: Qual a probabilidade de você acabar em três dias?

Peter: Bem provável.

Mike: Pode me dar um número?

Peter: 50% ou 60%.

Mike: Então há uma boa chance de levar quatro dias.

Peter: Sim. Na verdade, pode até levar cinco ou seis, mas eu duvido.

Mike: Duvida quanto?

Peter: Não sei... Tenho 90% de certeza de que terei acabado antes de seis dias.

Mike: Quer dizer que pode chegar a sete dias?

Peter: Bem, só se tudo der errado. Droga, se tudo der errado poderá levar até dez ou onze dias. Mas é improvável que tanta coisa dê errado.

Agora estamos começando a aprimorar a verdade. A estimativa de Peter é uma *distribuição de probabilidades*. Em sua mente, Peter vê a chance de completar a tarefa como o que mostra a Figura 10.1.

Você pode ver por que Peter deu uma estimativa original de três dias. É a barra mais alta no gráfico. Então, na cabeça dele, é provavelmente a duração mais longa para a tarefa. Mas Mike vê as coisas de maneira diferente. Ele olha para o lado direito do gráfico e se preocupa se Peter realmente levará onze dias para terminar.

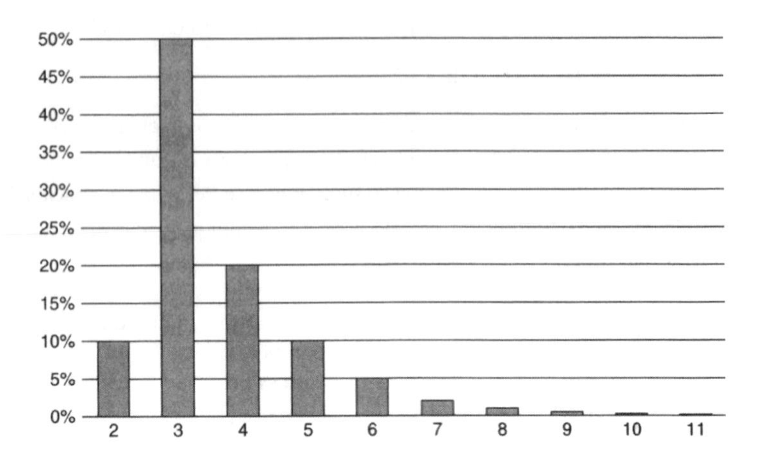

Figura 10.1 Distribuição de probabilidades.

Mike deveria se preocupar com isso? Claro! Murphy[1] caminhará com Peter, então algo provavelmente dará errado.

COMPROMETIMENTOS IMPLICADOS

Mike tem um problema agora. Ele está incerto sobre o tempo que Peter levará para completar a tarefa. Para minimizar essa incerteza, ele pode pedir que Peter se comprometa. Isso é algo que Peter não está em posição de fazer.

Mike: Peter, você pode me dar uma data concreta de quando acabará?

Peter: Não, Mike. Como eu disse, provavelmente terei acabado em três dias, talvez quatro.

Mike: Podemos dizer quatro, então?

Peter: Não, *pode* chegar a cinco ou seis.

Até aqui, todo mundo está se comportando corretamente. Mike pediu um compromisso e Peter cuidadosamente recusou. Então Mike tenta algo diferente:

Mike: Ok, Peter, mas você pode *tentar* não passar de seis dias?

1. A Lei de Murphy diz que se alguma coisa tiver chance de dar errado, ela dará.

O pedido de Mike soa inocente e ele, certamente, não tem más intenções. Mas o que ele está pedindo que Peter faça exatamente? O que significa "tentar"?

Já falamos sobre isso, lá no Capítulo 2. A palavra *tentar* é um termo carregado. Se Peter concordar em "tentar", se comprometerá com os seis dias. Não há outra maneira de interpretar. Concordar em tentar é concordar em conseguir.

Que outra interpretação poderia haver? O que exatamente Peter fará para que possa "tentar"? Trabalhará mais que oito horas? Isso está claramente implicado. Trabalhará nos finais de semana? Sim, isso também está implicado. Abrirá mão dos feriados com a família? Sim, isso também faz parte da implicação. Todas essas coisas estão implicadas na palavra "tentar". Se Peter não fizer tudo isso, Mike pode acusá-lo de não tentar o suficiente.

Profissionais traçam uma distinção clara entre estimativas e comprometimentos. Eles não se comprometem a não ser que tenham a certeza do sucesso. São cuidadosos a ponto de não fazerem compromissos implicados. Eles comunicam a distribuição das probabilidades de suas estimativas da maneira mais clara possível, de forma que os gerentes possam traçar planos apropriados.

PERT

Em 1957, o Programa de Avaliação e Revisão de Técnicas (PERT – do original, Program Evaluation and Review Technique) foi criado para dar apoio ao projeto da marinha norte-americana, do submarino Polaris. Um dos elementos do PERT é a forma como as estimativas são calculadas. O esquema fornece um modo bastante simples, porém efetivo, de converter estimativas em distribuição de probabilidades adequadas aos gerentes.

Quando se estima uma tarefa, você fornece três números. Isso é chamado de *análise trivariada*:

- **O:** Estimativa Otimista. Este número é altamente otimista. Você só consegue completar a tarefa nessa velocidade se tudo der certo. De fato, para que a matemática dê certo, esse número precisa ter bem menos de 1% de chance de ocorrer[2]. No caso de Peter, isso seria 1 dia, como mostra a figura 10.1.

2. O número preciso para uma distribuição normal é 1:769, ou 0,13%, ou 3 sigma. Chances de 1 em 1.000 provavelmente são seguras.

- **N:** Estimativa Nominal. Esta é a estimativa com a maior chance de sucesso. Se você fosse desenhar uma barra no gráfico, ela seria a mais alta, conforme mostrado na Figura 10.1. São três dias.
- **P:** Estimativa Pessimista. Mais uma vez, isso é altamente pessimista. Ela inclui tudo, exceto furacões, guerra nuclear, buracos negros e outras catástrofes. A matemática só funciona se esse número tiver bem menos que 1% de chance de sucesso. No caso de Peter, está fora do gráfico, à direita. São doze dias.

Dadas essas três estimativas, podemos descrever a distribuição da probabilidade como se segue:

- $\mu = \frac{O+4N+P}{6}$

  μ é a duração esperada da tarefa. No caso de Peter é (1+12+12)/6 ou em torno de 4,2 dias. Para a maioria das tarefas, esse será um número pessimista porque a extremidade direita da distribuição é mais longa que a esquerda[3].

- $\sigma = \frac{P-O}{6}$

  σ é a divergência padrão[4] da distribuição das probabilidades para a tarefa. É uma medição do quão incerta a tarefa é. Quando esse número é grande, a incerteza também é. Para Peter, esse número é (12-1)/6 ou por volta de 1,8 dias.

Dada a estimativa de Peter de 4,2/1,8, Mike entende que essa tarefa, provavelmente, será completada dentro de cinco dias, mas também poderia levar seis ou até nove.

Mas Mike não está administrando apenas uma tarefa. Está administrando um projeto com diversas tarefas. Peter tem três dessas tarefas, às quais ele deveria trabalhar em sequência. Ele as estimou conforme mostra a Tabela 10.1.

3. PERT presume que isso aproxima uma distribuição beta. Isso faz sentido uma vez que a duração mínima para uma tarefa costuma ser muito mais certa que a máxima [McConnell2006]. Fig. 1.3.
4. Se você não souber o que é uma divergência padrão, precisa encontrar um bom resumo sobre probabilidades e estatísticas. O conceito não é difícil de ser compreendido e lhe será de boa utilidade.

Tabela 10.1 Tarefas de Peter

Tarefa	Otimista	Nominal	Pessimista	μ	σ
Alfa	1	3	12	4,2	1,8
Beta	1	1,5	14	3,5	2,2
Gama	3	6,25	11	6,5	1,3

O que acontece com essa tarefa "beta"? Parece que Peter está bem confiante nela, mas alguma coisa poderia dar tão errado que ele poderia se atrasar significativamente. Como Mike deve interpretar isso? Quanto tempo Mike deveria planejar para a conclusão de todas as tarefas de Peter?

Acontece que, com simples princípios de cálculo, Mike pode combinar todas as tarefas de Peter e chegar a uma distribuição de probabilidades para o conjunto inteiro de tarefas. A matemática é bem direta:

- $\mu_{\text{sequência}} = \sum \mu_{\text{tarefa}}$

  Para qualquer sequência de tarefas, a duração esperada daquela sequência é a soma simples de todas as durações esperadas das tarefas naquela sequência. Então, se Peter tem três tarefas para completar e suas estimativas são 4,2/1,8, 3,5/2,2 e 6,5/1,3, logo, a probabilidade é que ele termine todas as tarefas em 14 dias:

- $\sigma_{\text{sequência}} = \sqrt{\sum \sigma_{\text{tarefa}}^{2}}$

  A divergência padrão é a raiz quadrada da soma dos quadrados das divergências padrão das tarefas. Assim, a divergência padrão para as três tarefas de Peter é por volta de 3.

$$(1{,}8^2 + 2{,}2^2 + 1{,}3^2)^{1/2} =$$

$$(3{,}24 + 2{,}48 + 1{,}69)^{1/2} =$$

$$9{,}77^{1/2} = \sim 3{,}13$$

Isso dirá a Mike que as tarefas de Peter provavelmente levarão 14 dias, mas podem muito bem levar 17 dias (1σ) e, até mesmo, 20 dias (2σ). Poderão levar até mais tempo ainda, mas isso é altamente improvável.

Olhe a tabela de estimativas novamente. Pode sentir a pressão de se conseguir completar as três tarefas em cinco dias? Afinal, as melhores estimativas são de 1, 1 e 3. Até mesmo a estimativa nominal só chega a 10 dias. Como chegamos até 14 dias, com uma possibilidade de 17 ou 20 dias? A resposta é que a incerteza nessas tarefas se compõem de forma que o *realismo* é somado ao plano.

Se você for um programador que tem mais do que alguns anos de experiência, provavelmente já viu projetos que foram estimados de maneira otimista e levaram de três a cinco vezes mais do que o esperado. O simples esquema PERT ajuda a evitar o estabelecimento de expectativas otimistas. Profissionais de software são bem cuidadosos ao estabelecer expectativas que não cedem à pressão de *tentar* ser mais rápido.

Estimativa de Tarefas

Mike e Peter estavam cometendo um erro terrível. Mike perguntava a Peter quanto tempo a tarefa levaria. Peter respondeu honestamente sobre a trivariedade; mas e quanto ao que sua equipe diria? Será que eles teriam opiniões diferentes?

O recurso mais importante de estimativas que você tem são as pessoas ao seu redor. Elas podem ver coisas que você não pode. Podem ajudá-lo a estimar suas tarefas de maneira mais precisa, do que se a fizesse por conta própria.

Wideband Delphi

Nos anos 1970, Barry Boehm nos apresentou uma técnica de estimativa chamada “wideband delphi”[5]. Tem havido muitas variações dessa técnica ao longo dos anos. Algumas são formais, outras informais; mas todas têm uma coisa em comum: o consenso.

A estratégia é simples. Um grupo de pessoas se junta, discute uma tarefa, a estima e itera a discussão e a estimativa até que todos cheguem a um acordo.

A abordagem original de Boehm envolvia diversas reuniões e documentos, que compreendiam muita formalidade e despesas gerais para meu gosto. Prefiro uma abordagem simples, como as que vêm a seguir:

5. [Boehm81]

Dedos Voadores

Todos sentam-se em volta de uma mesa. Tarefas são discutidas uma a uma. Para cada tarefa há uma discussão sobre o que ela envolve (o que pode confundir ou complicar), além da forma como ela deverá ser implantada. Então, os participantes colocam as mãos sob a mesa e levantam de 0 a 5 dedos, com base em quanto tempo eles acham que a tarefa levará. O moderador conta 1-2-3 e todos os participantes mostram as mãos de uma só vez.

Se todos concordarem, então seguem para a próxima tarefa. De outra forma, continuam a discussão para determinar o motivo da discordância. Eles repetem isso até concordarem.

A concordância não precisa ser absoluta. Contanto que as estimativas fechem, já é bom o suficiente. Então, por exemplo, um grupo de 3s e 4s é um acordo. Porém, se todos levantarem 4 dedos, exceto por um que levanta 1, então ainda há algo a ser discutido.

A escala da estimativa é decidida no começo da reunião. Pode ser o número de dias para uma tarefa ou alguma escala interessante como "dedos vezes três", ou "dedos ao quadrado".

A simultaneidade de mostrar os dedos é importante. Não queremos pessoas mudando suas estimativas com base no que viram as demais fazer.

Pôquer Planejado

Em 2002, James Grenning escreveu um artigo[6] interessante descrevendo o "Pôquer Planejado". Essa variação do wideband delphi ficou tão popular que diversas empresas já usaram a ideia para fazer brindes de marketing na forma de baralhos de pôquer planejado[7]. Existe, até mesmo, um site chamado planningpoker.com que você pode utilizar para fazer pôquer planejado na web, com equipes distribuídas.

A ideia é muito simples. Para cada membro da equipe de estimativa, entregue uma mão de cartas com diferentes números. Os números de 0 a 5 funcionam bem e tornam esse sistema logicamente equivalente aos *dedos voadores*.

---

6. [Grenning2002]
7. http://store.mountaingoatsoftware.com/products/planning-poker-cards

Escolha uma tarefa e discuta. A certa altura, o moderador pede que todos escolham uma carta; os membros da equipe tiram uma carta que combine com sua estimativa e a seguram com as costas voltadas para seus colegas, de forma que mais ninguém possa ver o valor. Então, o moderador pede que todos mostrem as cartas.

O resto é igual a *dedos voadores*. Se houver acordo, a estimativa é aceita. De outro modo, as cartas voltam para a mão e os jogadores continuam a discutir a tarefa.

Muita "ciência" foi dedicada a escolher os valores corretos das cartas para uma mão. Certas pessoas chegaram ao ponto de usar cartas com base na série Fibonacci. Outras, incluíram cartas para pontos de exclamação e interrogação. Pessoalmente, eu acho que as cartas 0, 1, 3, 5 e 10 já são suficientes.

Estimativa de Afinidade

Uma variação particularmente singular do wideband delphi me foi apresentada anos atrás por Lowell Lindstrom. Tive bastante sorte no uso dessa abordagem com vários clientes e equipes.

Todas as tarefas são escritas em cartões, sem mostrar qualquer estimativa. As equipes ficam em torno de uma mesa com os cartões espalhados aleatoriamente. Os membros da equipe não falam, eles simplesmente começam a sortear os cartões. Tarefas que levam mais tempo são movidas para a direita, as menores para a esquerda.

Qualquer membro pode mover qualquer cartão a todo momento, mesmo que ele já tenha sido movido por outro membro. Qualquer cartão movido mais do que x vezes é deixado de lado para a discussão.

Finalmente, o silêncio é abandonado e a discussão começa. São exploradas as discordâncias sobre a ordem dos cartões. Poderá haver algumas sessões rápidas de design ou algumas estruturas rápidas desenhadas à mão para ajudar no consenso.

O passo seguinte é desenhar linhas entre os cartões que representem as caçambas maiores. Essas podem ocorrer em dias, semanas ou pontos. Cinco caçambas são comuns em uma sequência Fibonacci (1, 2, 3, 5 e 8).

Estimativas Trivariadas

As técnicas wideband delphi são boas para se escolher uma única estimativa nominal para uma tarefa. Mas conforme mencionamos anteriormente, na maior parte do tempo queremos três estimativas para que possamos criar uma distribuição de probabilidades. Os valores otimistas e pessimistas para cada tarefa podem ser gerados bem rápido por meio do uso de qualquer variação do wideband delphi. Por exemplo, se você estiver usando pôquer planejado, simplesmente peça para a equipe pegar as cartas para a estimativa pessimista e, depois, escolha a mais alta. Faça o mesmo para a otimista e escolha a mais baixa.

A Lei dos Números Grandes

Estimativas são cheias de erros. Por isso são chamadas de estimativas. Uma forma de gerenciar o erro é usar a vantagem oferecida pela Lei dos Números Grandes[8]. Uma implicação dessa lei é que você divide uma tarefa grande em várias menores e as estima independentemente; a soma das estimativas de pequenas tarefas será mais precisa do que a estimativa de uma única tarefa grande. O motivo para esse aumento de precisão é que os erros nas tarefas pequenas tendem a se integrar.

Francamente, isso é otimista. Erros em estimativas tendem na direção da subestimação e não da superestimação, então a integração dificilmente é perfeita. Dito isso, quebrar tarefas grandes em outras menores e estimá-las de maneira independente ainda é uma boa técnica. Alguns dos erros *de fato* se integram e quebrar as tarefas é uma boa maneira para entendê-las melhor e descobrir as surpresas.

Conclusão

Desenvolvedores de software profissionais sabem como dar ao negócio as estimativas práticas que podem ser usadas para propósitos de planejamento. Eles não fazem promessas que não podem cumprir e não assumem compromissos que não tenham certeza de realizar.

8. http://em.wikipedia.org/wiki/Law_of_large_numbers

Quando profissionais assumem compromissos, eles fornecem números *concretos* e cumprem com esses números. Entretanto, na maior parte dos casos, profissionais não assumem tais compromissos. Em vez disso, eles fornecem estatísticas com probabilidades que descrevem o tempo esperado e a variação provável.

Desenvolvedores profissionais trabalham com outros membros de sua equipe para chegar a um consenso de quais estimativas entregar à gerência.

As técnicas descritas neste capítulo são *exemplos* de algumas das maneiras diferentes pelas quais os desenvolvedores profissionais criam estimativas práticas. Elas não são as únicas e nem são, necessariamente, as melhores. São apenas técnicas que acredito funcionarem bem para mim.

Bibliografia

[McConnell2006]: Steve McConnell, *Software Estimation: Demystifying the Black Art*, Redmond, WA: Microsoft Press, 2006.

[Boehm81]: Barry W. Boehm, *Software Engineering Economics*, Upper Saddle River, NJ: Prentice Hall, 1981.

[Grenning2002]: James Grenning, "Planning Poker or How to Avoid Analysis Paralysis while Release Planning", April 2002, http://renaissancesoftware.net/papers/14-papers/44-planning-poker.html

11 Pressão

Imagine que você está tendo uma experiência astral, observando a si próprio em uma mesa de operação enquanto um cirurgião opera seu coração. Aquele cirurgião está tentando salvar sua vida, mas o tempo é escasso, então ele está operando com um prazo final – *literalmente*.

Como você gostaria que esse médico se comportasse? Gostaria que ele se mostrasse calmo e sereno? Que ele desse ordens claras e precisas para a equipe de apoio? Gostaria que seguisse o treinamento e o estendesse aos seus discípulos?

Ou quer ele suando e praguejando? Gostaria de vê-lo batendo portas e jogando instrumentos para o alto? Gostaria que ele culpasse a gerência por expectativas pouco realistas e reclamasse continuamente durante todo o tempo? Você gostaria que ele se comportasse como um profissional ou como o típico desenvolvedor?

O desenvolvedor profissional é calmo e decisivo sob pressão. Conforme a pressão cresce, ele recorre ao treinamento e disciplinas, sabendo que ambos são a melhor forma para cumprir os prazos e compromissos que o estão pressionando.

Em 1988, eu trabalhava para a Clear Communications. Era uma empresa nova que, na verdade, nunca decolou. Passamos por uma primeira rodada de financiamentos, depois tivemos que ir para uma segunda e uma terceira ainda.

A visão inicial do produto parecia boa, mas sua arquitetura jamais conseguiu ser fundamentada. Em princípio, o produto era software e hardware. Depois passou a ser somente software. A plataforma de software mudou de PC para Sparcstations. Os clientes deixaram de ser de ponta para de baixa qualidade. Finalmente, até mesmo a intenção original do produto mudou, enquanto a empresa tentava encontrar algo que gerasse renda. Nos quase quatro anos que estive lá, não acho que a empresa tenha visto um centavo de rendimento.

É desnecessário dizer que nós, desenvolvedores de software, estávamos sob uma pressão significativa. Houve várias noites longas e, até mesmo, longos finais de semana que passamos no escritório em frente ao terminal. Funções foram escritas em C com mais de *3.000 linhas*. Havia discussões com berros e xingamentos envolvidos. Havia intrigas e subterfúgios. Socos dados nas paredes, canetas atiradas contra quadros, caricaturas de colegas chatos que estavam em destaque, feitas nas paredes com pincéis atômicos, além de um infinito suprimento de raiva e estresse.

Prazos eram definidos por eventos. Recursos tinham de ser aprontados para feiras ou demos para clientes. Qualquer coisa que um cliente pedisse, independentemente do tanto que fosse imbecil, tínhamos que aprontar para a demo seguinte. O tempo nunca era suficiente. O trabalho sempre estava atrasado. Os planejamentos eram todos opressores.

Se você trabalhasse 80 horas por semana, você era considerado herói. Se criasse alguma enrolação qualquer para a demo de um cliente, era um herói. Se fizesse o bastante dessas coisas, poderia ser promovido. Se não, podia ser despedido. Era uma empresa novata – tudo tinha a ver com a "equidade do suor". Em 1988, com quase 20 anos de experiência na área, eu caí nessa.

Era o gerente de desenvolvimento que dizia aos programadores subordinados a mim que eles tinham que trabalhar mais e mais rápido. Eu era um dos caras das 80 horas, escrevendo funções C com 3.000 linhas às 2 da manhã, enquanto meus filhos dormiam em casa sem terem o pai por perto. Eu era o cara que jogava as canetas e gritava. Despedia as pessoas se elas não se enquadrassem. Era algo terrível. Terrível.

Então chegou o dia em que minha esposa me forçou a dar uma boa olhada no espelho. Não gostei do que vi. Ela me disse que eu não era um cara legal para se ter por perto. Tive que concordar. Mas não gostei, então saí tempestuosamente de casa, furioso e comecei a andar sem destino. Caminhei por trinta minutos, quando começou a chover.

Foi quando algo deu um clique em minha cabeça. Comecei a rir de minha tolice. Ri de meu estresse. Ri daquele cara no espelho, o pobre imbecil que estava tornando sua vida miserável e a de outros ao seu redor em nome de – do quê?

Tudo mudou naquele dia. Parei com a loucura das horas. Parei com o estilo louco e estressante de viver. Parei de atirar canetas e escrever códigos com 3.000 linhas. Determinei que curtiria minha carreira ao desempenhá-la bem, não de forma estúpida.

Saí daquele emprego o mais profissionalmente possível e tornei-me consultor. Desde aquele dia, jamais chamei outra pessoa de "chefe".

EVITANDO A PRESSÃO

A melhor forma de permanecer calmo sob pressão é evitar as situações que a causam. Isso pode não eliminar a pressão completamente, porém pode minimizar e abreviar os períodos em que ela é alta.

Compromissos

Conforme descobrimos no Capítulo 10, é importante evitar se comprometer com prazos que não temos certeza se vamos cumprir. A empresa sempre pedirá esses compromissos porque quer eliminar o risco. O que temos que fazer é garantir que o risco seja quantificado e apresentado de forma que a empresa possa gerenciá-lo apropriadamente. Aceitar comprometimentos que não sejam realistas frustra essa meta e promove um desserviço para todos os envolvidos.

Às vezes, os compromissos não são assumidos por nós. Sentimos que a empresa fez promessas ao cliente sem ter nos consultado antes. Quando isso ocorre, temos a obrigação de ajudar a empresa a encontrar o melhor caminho para cumprir tais compromissos. Contudo, não temos que *aceitar* esses compromissos.

A diferença é importante. Profissionais sempre ajudarão seus empregadores a encontrar uma forma de atingirem suas metas. Mas eles não necessariamente aceitam comprometimentos feitos em seu nome. No final, se não pudermos encontrar uma maneira de cumprir as promessas feitas, então as pessoas que as fizeram terão de arcar com a responsabilidade.

Isso é fácil de dizer. Mas quando seu negócio está ruindo e seu contracheque atrasando por causa de compromissos perdidos, é difícil não sentir a pressão. Mas se você se comportou profissionalmente, ao menos pode manter a cabeça erguida quando for procurar emprego.

Ficando Limpo

A forma de avançar rapidamente e cumprir os prazos é ficando limpo. Profissionais não sucumbem à tentação de criarem uma bagunça a fim de irem mais rápido. Eles percebem que "rápido e sujo" são paradoxos. Sujo sempre significa lento!

Podemos evitar a pressão ao mantermos nossos sistemas, códigos e design o mais limpo possível. Isso não significa que passamos horas sem fim polindo códigos. Significa apenas que não toleramos bagunças. Sabemos que elas nos atrasarão, fazendo com que percamos datas e compromissos. Então fazemos o melhor trabalho que podemos e mantemos o resultado limpo.

Crise de Disciplina

Você percebe no que acredita quando se observa em uma crise. Se em uma crise você segue suas disciplinas, então acredita verdadeiramente nelas. Por outro lado, se mudar seu comportamento, então não acredita realmente em seu comportamento normal.

Se segue a disciplina do TDD em tempos sem crise, mas a abandona durante uma crise, então não confia de fato que o TDD seja útil. Se mantiver seu código limpo durante os tempos normais, mas cria grandes bagunças em épocas de crise, então não acredita de fato que bagunças irão lhe atrasar. Se trabalhar em pares durante uma crise, mas não o fizer normalmente, então acredita que isso é mais eficiente do que trabalhar sozinho.

Escolha disciplinas que são confortáveis para que siga em uma crise. *Então siga-as o tempo todo*. Seguir essas disciplinas é o melhor caminho para evitar entrar em uma crise.

Não mude seu comportamento quando a bomba vier. Se suas disciplinas forem a melhor maneira de trabalhar, então elas devem ser seguidas profundamente nos tempos difíceis.

Lidando com a Pressão

Prevenir, diminuir e eliminar a pressão é muito bom, mas às vezes ela vem a despeito de suas melhores intenções e prevenções. O projeto pode levar mais tempo do que todos esperavam. O design inicial estava simplesmente errado e teve de ser refeito. Ou pode acontecer de você perder um membro da equipe ou cliente valiosos. Às vezes, você assume um comprometimento que não poderá manter. E aí?

Sem Pânico

Administre seu estresse. Noites sem dormir não irão ajudá-lo a trabalhar mais rápido. Sentar e chorar também não. E a pior coisa que pode fazer é entrar na correria! Resista a essa tentação a todos os custos. Apressar-se só irá colocá-lo em um buraco mais fundo.

Em vez disso, diminua o ritmo. Analise o problema. Projete um curso para o melhor resultado possível e, então, siga na direção desse resultado a um passo constante e razoável.

Comunique

Deixe que sua equipe e superiores saibam que você está em apuros. Conte seus melhores planos para sair dos problemas. Peça abertura e sugestões. Evite criar surpresas. Nada torna as pessoas mais zangadas e menos racionais do que surpresas. Elas multiplicam a pressão por dez.

Confie em Suas Disciplinas

Quando a coisa ficar difícil, *confie em suas disciplinas*. O motivo para ter disciplinas é receber orientação em épocas difíceis e, nas quais, a pressão está alta. Essas são as ocasiões em que deve prestar atenção especial às disciplinas. Não são as ocasiões em que deve questioná-las ou abandoná-las.

Em vez de ficar agonizando em pânico, buscando qualquer coisa que possa ajudá-lo a seguir mais rápido, torne-se mais consciente e dedicado no seguimento das disciplinas que escolheu para si. Se segue TDD, então escreva ainda mais testes que de costume. Se é um refatorador impiedoso, refatore ainda mais. Se mantém suas funções pequenas, então torne-as ainda menores. A única forma de passar pela panela de pressão é confiar no que você já conhece – suas disciplinas.

Peça Ajuda

Pare! Quando a pressão estiver alta, encontre um associado que esteja disposto a programar em par. Você irá acelerar com menos defeitos. Seu parceiro irá ajudá-lo a se ater às disciplinas e evitar que entre em pânico. Ele perceberá coisas que você deixou passar, terá ideias úteis e apanhará o fio da meada quando você perder o foco.

Da mesma maneira, quando alguém estiver sob pressão, se ofereça para ser o par da pessoa. Ajude-a a sair do buraco em que ela está.

Conclusão

O truque para lidar com a pressão é evitá-la sempre que puder e fluir com ela quando não puder fugir dela. Você a evita gerenciando seus compromissos, seguindo suas disciplinas e mantendo-se limpo. Fique calmo, comunique-se e peça ajuda.

12 Colaboração

A maior parte dos softwares é criada por equipes. Elas são mais eficientes quando seus membros colaboram profissionalmente. Não é profissional ser um solitário ou excluído em uma equipe.

Em 1974, eu tinha 22 anos. Meu casamento com minha bela esposa, Ann Marie, mal tinha seis meses. O nascimento de minha primeira filha, Angela, seria um ano depois. Eu trabalhava para uma divisão da Teradyne conhecida como Chicago Laser Systems.

Meu amigo dos tempos de colégio, Tim Conrad, trabalhava comigo. Já tínhamos fabricado alguns milagres juntos. Construímos computadores no porão da casa dele. Construímos escadas de Jacob na minha. Ensinamos um ao outro como programar PDP-8 e como cabear circuitos integrados e transistores em calculadoras funcionais.

Éramos programadores trabalhando em um sistema que usava lasers para aparar componentes eletrônicos, como resistores e capacitores, a fim de obter extrema precisão. Por exemplo, preparamos o cristal para o primeiro relógio digital, o Motorola Pulsar.

O computador que programávamos era o M365, um clone do PDP-8 da Teradyne. Usávamos linguagem Assembly e nossos arquivos de código eram guardados em cartuchos de fita magnética. Embora pudéssemos editar em um monitor, o processo era muito envolvente, então imprimíamos listas para a maior parte da leitura e edição preliminar de nossos códigos.

Não tínhamos facilidade alguma em procurar o código-fonte. Não havia como descobrir todos os lugares onde determinada função era chamada ou a constante utilizada. Como você pode imaginar, isso era um grande obstáculo.

Certo dia, Tim e eu decidimos que escreveríamos um gerador de referências cruzadas. Esse programa leria nossas fitas e imprimiria uma lista com todos os símbolos, junto com os arquivos e números de linha em que aquele símbolo havia sido usado.

O programa inicial era bem simples. Ele apenas lia a fita, analisava a sintaxe do montador, criava uma tabela de símbolos e adicionava referências para as entradas. Funcionava bem, mas era muito lento. Levava 1 hora para processar nosso Programa de Operações Master (o MOP).

Ele era lento demais porque estávamos mantendo o crescimento da tabela de símbolos em um único buffer de memória. Sempre que encontrávamos uma nova referência, a inseríamos no buffer, movendo o resto dele para baixo em alguns bytes a fim de abrir espaço.

Não éramos especialistas em estruturas de dados e algoritmos. Nunca tínhamos escutado falar de tabelas *hash* ou buscas binárias. Não tínhamos ideia de como fazer um algoritmo mais rápido. Sabíamos apenas que aquilo que estávamos fazendo era lento demais.

Então tentamos uma coisa após outra. Tentamos colocar as referências em listas ligadas. Tentamos deixar lacunas na lista e só aumentar o buffer quando elas fossem preenchidas. Tentamos criar listas de lacunas ligadas. Tentamos todo o tipo de ideia maluca.

Ficávamos no quadro de nosso escritório desenhando diagramas para as estruturas de dados e fazendo cálculos para prever o desempenho. Todo dia chegávamos ao escritório com uma nova ideia. Colaborávamos como amigos.

Algumas das coisas que tentamos aumentaram o desempenho. Outras diminuíram. Era de enlouquecer. Foi quando descobri como é difícil otimizar um software e o tanto que o processo não é intuitivo.

No final, conseguimos baixar o tempo para menos de 15 minutos, que era quase o tempo que levava apenas para ler a fita de origem. Portanto, ficamos satisfeitos.

Programadores versus Pessoas

Não nos tornamos programadores porque gostamos de trabalhar com pessoas. Via de regra, achamos relacionamentos interpessoais confusos e imprevisíveis. Gostamos do comportamento limpo e previsível das máquinas que programamos. Ficamos mais felizes quando estamos sozinhos em uma sala por horas, focados em um problema realmente interessante.

Ok, essa é uma generalização enorme e há muitas exceções. Há vários programadores que trabalham bem com pessoas e gostam do desafio. Mas a média do grupo ainda tende na direção que apontei. Nós, programadores, curtimos a moderada privação sensorial e a imersão na hibernação do foco.

Programadores versus Empregadores

Nos anos 1970 e 1980, enquanto trabalhava como programador para a Teradyne, aprendi a ser *realmente* bom em depuração. Adorava o desafio e me atirava em problemas com vigor e entusiasmo. Nenhum bug podia se esconder de mim por muito tempo!

Quando resolvia um bug era como obter uma vitória ou matar o Jabberwock! Ia até meu chefe, Ken Finder, com a lâmina Vorpal em mãos, e descrevia com paixão o *tanto* que o bug era interessante. Certo dia, Ken finalmente vociferou sua frustração: "Bugs não são interessantes. Eles só precisam ser consertados!".

Aprendi algo naquele dia. É bom ter paixão pelas coisas que fazemos. Mas também é bom manter os olhos nas metas das pessoas que pagam seu salário.

A primeira responsabilidade do programador profissional é ir ao encontro das necessidades do empregador. Isso significa colaborar com gerentes, analistas de negócios, testadores e outros membros da equipe, que entendem *em profundidade* as metas da empresa. Isso não significa que você virou um especialista em negócios. Significa apenas que você precisa entender porquê está escrevendo aqueles códigos e como o negócio que o emprega se beneficiará deles.

A pior coisa que um programador profissional pode fazer é se enterrar em uma tumba de tecnologia enquanto a empresa colapsa à sua volta. Seu trabalho é manter o negócio flutuando!

Por isso, programadores profissionais procuram entender o negócio. Eles falam com usuários sobre o software que estão usando. Falam com o pessoal de vendas e marketing sobre os problemas e dificuldades que estão enfrentando. Falam com gerentes para entender as metas da equipe a curto e a longo prazo.

Resumindo, eles prestam atenção ao navio que está zarpando.

A única vez que fui despedido de um trabalho de programação foi em 1976. Na época, trabalhava para a Outboard Marine Corp. Estava ajudando a escrever um sistema de fatoração automática que usava System/7s da IBM para monitorar dezenas de máquinas de alumínio fundido no chão da fábrica.

Tecnicamente, este era um trabalho bastante recompensador e desafiador. A arquitetura do System/7s era fascinante e o sistema de fatoração automática já era interessante por si só.

A equipe também era boa. O líder, John, era competente e motivado. Meus dois colegas de programação eram agradáveis e prestativos. Tínhamos um laboratório dedicado ao projeto, no qual todos trabalhavam. O parceiro do negócio era comprometido e ficava conosco no laboratório. Nosso gerente, Ralph, era competente, focado e responsável.

Tudo devia ter sido ótimo. O problema era eu. Tinha bastante entusiasmo pelo projeto e pela tecnologia, mas aos 24 anos simplesmente não conseguia me importar com a empresa ou sua estrutura de política interna.

Cometi meu primeiro erro no primeiro dia. Apareci sem usar gravata. Havia usado uma em minha entrevista e vi que todos usavam gravatas, mas não fiz a conexão. Então, em meu primeiro dia, Ralph veio até mim e disse, "Usamos gravatas aqui".

Não posso dizer o quanto me ressenti com aquilo. Me incomodou em um nível profundo. Usava a gravata diariamente e a odiava. Mas por quê? Eu sabia onde estava me metendo. Sabia das convenções adotadas por eles. Por que estava tão desapontado? Porque era egoísta, narcisista e um pouco imbecil.

Simplesmente, não conseguia chegar no horário para trabalhar. E achava que isso não tinha importância. Afinal, estava fazendo um "bom trabalho". E era verdade, estava fazendo um ótimo trabalho ao escrever programas. Eu era simplesmente o melhor programador técnico da equipe; podia escrever códigos melhor e mais rápido que os demais. Podia diagnosticar e resolver problemas mais rápido. Eu *sabia* meu valor. Portanto, horas e datas não me importavam muito.

A decisão de me despedir foi tomada um dia após eu ter me atrasado para um evento importante. Aparentemente, John havia dito a todos que ele queria a demo de recursos funcionando para a segunda-feira seguinte. Tenho certeza de que eu sabia disso, mas horas e datas simplesmente não eram importantes para mim.

Estávamos em desenvolvimento ativo. O sistema não estava em produção. Não havia motivo para deixar o sistema rodando quando ninguém estava no laboratório. Devo ter sido o último a sair na sexta-feira e, aparentemente, deixei o sistema em um estado de não funcionamento. O fato de a segunda-feira ser importante simplesmente não havia penetrado em meu cérebro.

Cheguei 1 hora atrasado na segunda-feira e vi todo mundo se aglomerando em volta de um sistema que não funcionava. John me perguntou, "Por que o sistema não está funcionando, Bob?". Minha resposta: "Não sei". E me sentei para depurá-lo. Ainda não tinha a menor lembrança da importância da demo para a segunda-feira, mas podia dizer pela linguagem corporal de todo mundo que algo estava errado. Então John se aproximou e sussurrou em meu ouvido: "E se Stenberg tivesse vindo nos visitar?". Depois, se afastou aborrecido.

Stenberg era o VP responsável pela automação. Hoje em dia, o chamaríamos de CIO. A pergunta não tinha significado para mim. "E daí?", pensei. "O sistema não está em produção, qual é o problema?".

Recebi minha primeira carta de aviso mais tarde naquele dia. Ela dizia que eu precisava mudar minha atitude imediatamente ou "o resultado será demissão imediata". Fiquei horrorizado!

Levei um tempo para analisar meu comportamento e começar a perceber o que estava fazendo de errado. Falei com John e Ralph a respeito. Determinei-me a virar a mesa.

E o fiz! Parei de chegar atrasado. Comecei a prestar atenção à política interna. Comecei a compreender o motivo de John ficar preocupado com Stenberg e vi a péssima situação em que o coloquei ao não deixar o sistema rodando naquela segunda-feira.

Mas era tarde demais. A sorte estava lançada. Recebi uma segunda carta de aviso um mês depois por conta de um erro trivial cometido. Devia ter percebido àquela altura que as cartas eram uma mera formalidade e que a decisão de me dispensar já havia sido tomada. Porém, estava determinado a resgatar a situação, então trabalhei ainda mais.

A carta de dispensa veio algumas semanas depois.

Voltei para casa naquele dia para minha esposa de 22 anos grávida e tive que dizer a ela que havia sido despedido. Não é uma experiência que desejo repetir.

Programadores versus Programadores

Com frequência, programadores têm dificuldade em trabalhar próximos aos seus colegas. Isso leva a alguns problemas terríveis.

Código de Propriedade

Um dos piores sintomas de uma equipe não funcional é quando cada programador constrói um muro em volta do *seu* código e se recusa a deixar os outros tocá-lo. Já estive em lugares em que os programadores sequer deixavam os outros verem seu código.

Certa vez, fui consultor de uma empresa que fazia impressoras de alta tecnologia. Essas máquinas tinham muitos componentes diferentes, como alimentadores, impressoras, empilhadoras, grampeadores, cortadores, e assim por diante. A empresa valorizava cada um desses recursos de forma diferente. Alimentadores eram mais importantes que empilhadoras e nada era mais importante que as impressoras.

Cada programador trabalhava no *seu* recurso. Um escrevia o código para o alimentador, outro para o grampeador. Cada qual guardava para si sua tecnologia e evitava que todos os demais vissem seu código. A influência política desses programadores estava diretamente relacionada ao valor que a empresa dava ao recurso em que trabalhavam. O programador que trabalhava na impressora era inestimável.

Isso era um desastre para a tecnologia. Como consultor, pude ver que havia uma massiva duplicação no código e que as interfaces entre os módulos estavam completamente confusas. Mas nenhum argumento de minha parte podia convencer os programadores (ou a empresa) de mudar seu comportamento. Afinal, seus salários estavam relacionados à importância do recurso que eles mantinham.

Propriedade Coletiva

É muito melhor quebrar todos os muros de propriedade de código e fazer com que a equipe seja proprietária do código como um todo. Prefiro equipes nas quais qualquer membro possa checar qualquer módulo e efetuar as mudanças que achar apropriadas. Quero que o código seja da *equipe*, não dos indivíduos.

Desenvolvedores profissionais não evitam que os outros trabalhem em seu código. Não constroem muros de propriedade em torno dele. Eles trabalham uns com os outros, na maior parte que puderem do sistema. Aprendem mutuamente ao trabalharem em partes diferentes do sistema.

Trabalhos em Duplas

Muitos programadores não gostam da ideia de programação em dupla. Acho isso estranho, já que a maioria dos programadores fará dupla em uma emergência. Por quê? Porque, claramente, é a forma mais eficiente de resolver um problema. Tudo retorna ao velho ditado: duas cabeças pensam melhor que uma. Mas se trabalhar em dupla é a forma mais eficiente de resolver um problema em uma emergência, por que não é a forma mais eficiente de resolver um problema e ponto final?

Não vou ficar citando estudos para você, embora existam alguns que poderiam ser citados. Não vou contar casos, embora existam diversos. Não vou dizer o quanto você deveria trabalhar em dupla. Tudo o que direi é que profissionais trabalham em duplas. Por quê? É a forma mais eficiente de resolver os *problemas*. Mas esse não é o único motivo.

Profissionais também formam duplas porque é a melhor forma de partilhar conhecimento uns com os outros. Eles não criam silos de conhecimento. Ao contrário, aprendem as diversas partes do sistema e do negócio ao fazer dupla com seus companheiros. Eles reconhecem que, embora todos os membros da equipe tenham um papel a desempenhar, todos precisam ser capazes de desempenhar qualquer papel.

Profissionais trabalham em duplas porque é a melhor forma de revisar o código. Nenhum sistema deve consistir de códigos que não tenham sido revisados por outros programadores. Existem muitas maneiras de conduzir revisões de códigos; a maior parte é terrivelmente ineficiente. A forma mais eficiente e efetiva de revisar códigos é ter alguém colaborando em sua escrita.

Cerebelos

Fui de trem para Chicago em uma manhã do ano de 2000, durante o auge da explosão do *pontocom*. Quando saí do trem para a plataforma, dei de cara com um enorme outdoor, que ficava sobre a porta de saída. Era um anúncio de uma empresa bem conhecida que estava recrutando programadores. Dizia: *Venha esfregar cerebelos com os melhores.*

Fui arrebatado de imediato pela enorme estupidez de um anúncio como aquele. Esse pobre pessoal de propaganda estava tentando apelar para uma população de programadores altamente inteligente, técnica e com conhecimento de causa. Esse é o tipo de gente que não sofre de estupidez. Os anunciantes estavam tentando evocar a imagem de conhecimento partilhado com outras pessoas muito inteligentes. Infelizmente, fizeram uma referência a uma parte do cérebro, o cerebelo, que lida com o controle muscular fino, não a inteligência. Então, as próprias pessoas que eles tentavam atrair estavam zombando de um erro tolo como aquele.

Mas algo mais me intrigou no anúncio; algo que me fez pensar em um grupo de pessoas tentando esfregar cerebelos. Uma vez que o cerebelo fica na parte de trás do cérebro, a melhor forma de esfregá-lo seria virando de costas. Imaginei uma equipe de programadores em cubículos, sentados de costas uns para os outros, olhando para monitores com fones de ouvidos. Assim é como se esfrega um cerebelo. Não se trata de uma equipe.

Profissionais trabalham *juntos*. Não se pode trabalhar junto se as pessoas estão sentadas em seus cantos com fones de ouvido. Portanto, gostaria que vocês se sentassem em mesas redondas de frente para seus colegas. Quero que sejam capazes de cheirar o medo uns dos outros. Que possam escutar os murmúrios de frustração de um colega. Quero comunicação ininterrupta, verbal e corporal. Quero que se comuniquem como uma unidade.

Talvez você acredite que trabalha melhor quando está sozinho. Pode até ser verdade, mas não significa que a *equipe* trabalha melhor quando você se isola. E, na verdade, é muito improvável que você realmente trabalhe melhor sozinho.

Há ocasiões em que trabalhar sozinho é o melhor a ser feito. Ocasiões em que você simplesmente precisa pensar firme e durante um bom tempo em um problema. Há, também, ocasiões em que a tarefa é tão trivial que seria um desperdício ter outra pessoa trabalhando ao seu lado. Mas em geral, é melhor colaborar de perto com os outros e fazer duplas durante a maior parte do tempo.

CONCLUSÃO

Talvez não tenhamos entrado na área de programação para trabalhar com pessoas. Azar nosso. Programação tem *tudo a ver com trabalhar com pessoas*. Temos que trabalhar com nossos empregadores e uns com os outros.

Eu sei, eu sei. Não seria ótimo se eles simplesmente nos trancassem em uma sala com seis telas enormes, um tubo T3, um monte de processadores super-rápidos, RAM e disco ilimitados, e um suprimento sem fim de coca diet e batatinha frita apimentada? Ai de mim se não seria. Mas se realmente queremos passar nossos dias programando, teremos que aprender a conversar com pessoas[1].

1. Uma referência à última frase do filme *No Mundo* de 2020.

13 Projetos e Equipes

E se você tiver muitos pequenos projetos para fazer? Como deveria alocar esses projetos para seus programadores? E se tiver um projeto realmente grande para ser feito?

Eles Se Misturam?

Fui consultor de vários bancos e empresas de seguros ao longo dos anos. Uma coisa que ambos parecem ter em comum é a forma singular com que dividem os projetos.

Com frequência, um projeto em um banco será um trabalho relativamente pequeno, que requer um ou dois programadores para algumas semanas de trabalho. Esse projeto costuma ser composto por um gerente de projetos que também administra outros projetos. Também há um analista de negócios que, provavelmente, fornece requerimentos para outros projetos. Há, ainda, alguns programadores e testadores que, da mesma forma, também estarão trabalhando em outros projetos.

Vê o padrão? O projeto é tão pequeno que ninguém pode ser designado para trabalhar nele em tempo integral. Todo mundo está trabalhando no projeto com envolvimento de 50% ou 25%.

Mas aqui vai uma regra: Não existe esse negócio de meia pessoa.

Não faz sentido dizer a um programador para devotar metade de seu tempo para um projeto A e o resto para o B, especialmente quando os dois projetos têm dois gerentes diferentes, analistas de negócios diferentes e programadores e testadores diferentes. Como você poderá chamar uma monstruosidade dessas de equipe? Isso não é uma equipe, é algo que saiu de um liquidificador.

A Equipe Sólida

Uma equipe leva tempo para ser formada. Seus membros começam a constituir relacionamentos e aprender a colaborar uns com os outros. Eles aprendem sobre os pontos fortes e os pontos fracos de seus colegas. Finalmente, a equipe começa a *se solidificar.*

Há algo verdadeiramente mágico em uma equipe sólida. Ela pode operar milagres. Seus membros antecipam as ações uns dos outros, se ajudam e dão suporte mutuamente, exigindo o melhor de todos. Eles fazem as coisas acontecer.

Uma equipe sólida consiste de algo em torno de doze pessoas. Pode chegar a vinte ou ter somente três membros, porém o melhor número, provavelmente, é mesmo doze. A equipe deve ser composta de programadores, testadores e analistas. E precisa ter um gerente de projetos.

A taxa de programadores para testadores e analistas pode variar bastante, mas 2:1 é um bom número. Portanto, uma boa equipe sólida pode ter sete programadores, dois testadores e um gerente de projetos.

O analista desenvolve os requerimentos e escreve testes de aceitação automatizados para eles. Os testadores também escrevem testes de aceitação automatizados. A diferença entre ambos é a perspectiva. Ambos são requerimentos escritos. Mas analistas se focam no valor do negócio; testadores, na correção. Analistas escrevem os testes de caminho feliz; testadores se preocupam com o que pode dar errado e escrevem os casos de falha e limite.

O gerente de projetos verifica o progresso da equipe e certifica-se de que ela esteja compreendendo os prazos e as prioridades.

Um dos membros da equipe pode desempenhar um papel de treinador em meio período, com a responsabilidade de defender os processos e disciplinas da equipe. Ele age como a consciência da equipe quando ela se sente tentada a sair de seus processos por causa da pressão.

Fermentação

Leva tempo até que uma equipe assim trabalhe suas diferenças, encontre um consenso e realmente se torne sólida. Pode levar seis meses ou até um ano. Mas uma vez que isso ocorra, é mágica. Uma equipe sólida fará planejamentos, resolverá problemas, encarará as dificuldades e cumprirá as tarefas com união.

Quando isso acontece é absurdo separá-la porque um projeto acabou. É melhor manter a equipe junta e continuar alimentando-a com outros projetos.

O Que Vem Antes, a Equipe ou o Projeto?

Bancos e empresas de seguros tentam formar equipes em torno de projetos. Essa é uma abordagem tola. As equipes simplesmente não conseguem se solidificar. Os indivíduos estão no projeto apenas por um curto período e só por um percentual de seu tempo, então nunca aprendem a lidar uns com os outros.

Organizações de desenvolvimento profissional alocam projetos para equipes sólidas que já existem, não formam equipes em torno de projetos. Uma equipe sólida pode aceitar muitos projetos simultaneamente e dividirá o trabalho de acordo com sua própria opinião, habilidades e capacidades. E conseguirá que o projeto seja feito.

Mas Como Você Administra Isso?

Equipes têm velocidades[1]. A velocidade de uma equipe é simplesmente a quantidade de trabalho feita em determinado período de tempo. Algumas equipes medem sua velocidade em *pontos* por semana, sendo que os pontos são unidades de complexidade. Elas quebram os recursos de cada projeto em que estão trabalhando e os estimam em pontos. Então medem quantos pontos conseguem por semana.

Velocidade é uma medida estatística. Uma equipe pode obter 38 pontos em uma semana, 42 na seguinte e 25 na outra. A média será obtida ao longo do tempo.

A gerência pode estabelecer metas para cada projeto. Por exemplo, se a velocidade média de uma equipe for 50 e ela está trabalhando em três projetos, então a gerência pode pedir que a equipe divida seus esforços em 15, 15 e 20.

À parte de ter uma equipe sólida trabalhando em seus projetos, a vantagem desse esquema é que, em uma emergência, a empresa pode dizer, "O Projeto B está em crise; concentre 100% de seus esforços nele pelas próximas três semanas".

Realocar prioridades tão rápido é virtualmente impossível com equipes que saíram do liquidificador, mas equipes sólidas que já vêm trabalhando em dois ou três projetos concomitantemente podem virar a mesa rapidamente.

O Dilema do Dono do Projeto

Uma das objeções à abordagem que estou defendendo é que os donos do projeto perdem segurança e poder. Os donos do projeto que têm uma equipe dedicada podem contar com os esforços dela. Eles sabem que formar e debandar uma equipe é uma operação cara, então a empresa não mudará a equipe a curto prazo.

Por outro lado, se os projetos são oferecidos a equipes sólidas, e se essas equipes assumem diversos projetos ao mesmo tempo, a empresa está livre para alterar as prioridades conforme necessário. Isso pode deixar o dono do projeto inseguro sobre o futuro. Os recursos dos quais ele depende podem, repentinamente, ser tirados dele.

Francamente, eu prefiro essa última situação. A empresa não deve ter suas mãos atadas por conta da dificuldade artificial de formar e debandar equipes. Se ela

1. [RCM2003] PP. 20-22; [COHN2006] Verifique o índice para obter mais referências sobre velocidade.

decidir que um projeto tem prioridade mais alta que outro, deve ser capaz de realocar recursos rapidamente. É responsabilidade do dono do projeto defender a causa de seu projeto.

CONCLUSÃO

Equipes são mais difíceis de serem criadas do que projetos. Portanto, é melhor formar equipes persistentes que se movam juntas de projeto para projeto e possam assumir mais de um projeto por vez. A meta ao formar uma equipe é dar a ela tempo suficiente para se tornar sólida e então mantê-la unida como um motor a fim de conseguir que mais projetos sejam feitos.

BIBLIOGRAFIA

[RCM2003]: Robert C. Martin, *Agile Software Development: Principles, Patterns, and Practices*, Upper Saddle River, NJ: Prentice Hall, 2003.

[COHN2006]: Mike Cohn, *Agile Estimating and Planning*, Upper Saddle River, NJ: Prentice Hall, 2006.

14 Ensino, Aprendizagem e Habilidade

Tenho me desapontado constantemente com a qualidade dos graduados em Ciência da Computação. Não que os graduados não sejam brilhantes ou talentosos, é só que eles não aprendem o que a programação é de verdade.

GRAUS DE FRACASSO

Certa vez, entrevistei uma jovem que estava trabalhando em seu mestrado em Ciência da Computação (CC) para uma grande universidade. Ela estava pleiteando uma posição de estagiária durante o verão. Pedi que ela escrevesse alguns códigos para mim e ela respondeu, "Na verdade, eu não escrevo códigos".

Por favor, leia o parágrafo anterior novamente e depois pule este aqui e vá para o próximo.

Perguntei quais cursos de programação ela teve para desenvolver o seu mestrado. Ela disse que nenhum.

Talvez você queira voltar para o início do capítulo só para ter certeza de que não caiu em algum universo alternativo ou acabou de acordar de um pesadelo.

A essa altura, você deve estar se perguntando como uma estudante com mestrado em programação na área de CC pode evitar um curso de programação. Perguntei-me o mesmo e ainda o faço até hoje.

Claro, essa é a decepção mais extrema que já tive ao entrevistar graduados. Nem todos eles foram decepcionantes – longe disso! Entretanto, percebi que aqueles que não eram, tinham algo em comum: Quase todos eles *ensinaram a si próprios* a programar antes de entrar na universidade e continuaram a agir como autodidatas independentemente dela.

Não me interprete mal. Acho possível obter uma educação excelente em uma universidade. Só que também acho possível que você busque outras saídas no sistema e saia com um diploma, e pouca coisa a mais do que isso.

E tem outro problema. Mesmo o melhor programa de graduação de CC não prepara o jovem graduado para o que ele encontrará na indústria. Isso não é uma indireta para os cursos, ainda que seja a realidade de quase todas as disciplinas. O que você aprende na escola e o que encontra no emprego são, em geral, coisas diferentes.

ENSINO

Como aprendemos a programar? Deixe-me contar minha história de aprendizado.

DIGI-COMP I, MEU PRIMEIRO COMPUTADOR

Em 1964, minha mãe me deu um pequeno computador de plástico quando completei doze anos. Chamava-se Digi-Comp I[1]. Ele tinha três flip-flops de plástico e seis *and*-gates. Você podia conectar os outputs dos flip-flops aos inputs dos *and*-gates, e vice-versa. Ou seja, permitia que você criasse uma máquina de três bits de estado finito.

O kit vinha com um manual que lhe dava diversos programas para rodar. Você programava a máquina ao apertar pequenos tubos (segmentos curtos de canudinhos de refrigerante) em pequenas estacas salientes nos flip-flops. O manual dizia exatamente onde colocar cada tubo, mas não o que os tubos *faziam*. Eu achava isso bastante frustrante.

Fiquei horas olhando para a máquina e percebi como ela funcionava em seu nível mais elementar, mas não podia descobrir como fazer com que ela fizesse o que eu queria. A última página do livro pedia que eu lhes enviasse um dólar e eles mandariam outro manual, ensinando a programar a máquina[2].

Enviei meu dólar e esperei com a impaciência de meninos de doze anos. No dia em que o manual chegou, eu o devorei. Era uma simples dissertação sobre álgebra booleana, cobrindo fatoração básica de equações booleanas, leis associativas e distributivas e o Teorema de De Morgan. O manual mostrava como expressar um problema em termos de uma sequência de equações booleanas. Também descrevia como reduzir essas equações para que coubessem nos 6 *and*-gates.

Eu concebi meu primeiro programa. Ainda me lembro do nome: Mr. Patternson's Computerized Gate. Escrevi as equações, as reduzi e mapeei nos tubos e estacas da máquina. *E funcionou!*

Mesmo hoje, falar sobre isso faz com que eu me arrepie. Os mesmos arrepios que senti quando tinha doze anos, quase meio século atrás. Fui fisgado. Minha vida jamais seria igual.

Você se lembra do momento em que seu primeiro programa funcionou? Isso mudou sua vida ou o colocou em um curso do qual você não poderia mais se desvencilhar?

---

1. Há muitos sites que oferecem simulações desse estimulante e pequeno computador.
2. Ainda tenho esse manual. Ocupa um lugar de honra em minha prateleira de livros.

Eu não percebi por conta própria. Fui *ensinado*. Algumas pessoas bem gentis e adeptas (a quem tenho uma dívida de gratidão) escreveram uma dissertação sobre álgebra booleana que fosse acessível a um garoto de 12 anos. Eles conectaram a teoria matemática à pragmática do pequeno computador de plástico e me deram o poder de controlar a máquina.

Acabei de apanhar minha cópia daquele árduo manual. Eu a mantenho em um saquinho fechado. Ainda assim, os anos cobraram seu pedágio amarelando as páginas e deixando-as quebradiças. Porém, o poder das palavras ainda brilha para fora delas. A elegância da descrição da álgebra booleana consumia três páginas. Suas equações passo a passo para cada um dos programas originais ainda são atraentes. Foi um trabalho de mestre. Um trabalho que mudou a vida de, pelo menos, um jovem. Contudo, duvido que um dia eu venha a saber os nomes dos autores.

O ECP-18 NA ESCOLA

Aos 15 anos, durante o ensino médio, gostava de me relacionar com o pessoal do departamento de matemática (vai entender!). Um dia eles estavam em volta de uma máquina do tamanho de uma mesa de serra. Era um computador educacional feito para alunos, chamado ECP-18. Nossa escola havia recebido um para demonstração por duas semanas.

Estava no fundo, enquanto os professores e técnicos falavam. Essa máquina tinha um *word* de 15 bits (o que é um *word*?) e um tambor de memória para armazenar 1.024 palavras (eu sabia o que era um tambor de memória na época, mas apenas conceitualmente).

Quando eles a ligaram fez um som lamurioso como se fosse uma aeronave decolando. Percebi que era o tambor girando. Uma vez que chegava à velocidade certa, ele ficava relativamente silencioso.

A máquina era *adorável*. Era essencialmente uma mesa de escritório com um painel de controle maravilhoso e saliente ao centro, como a ponte de um navio de guerra. O painel era adornado com fileiras de luzes que também eram botões. Sentar-se àquela mesa era como se sentar na cadeira do Capitão Kirk.

Enquanto observa os técnicos apertarem os botões, notei que os botões se iluminavam quando pressionados e, que, para desligá-los, era necessário apertá-los de novo. Também notei que havia outros botões com nomes como *depositar* e *rodar*.

Os botões de cada fileira eram agrupados em cinco conjuntos de três. Meu Digi-Comp também tinha três bits, então eu podia ler um dígito octal quando ele era expresso em modo binário. Não foi difícil perceber que aqueles eram apenas cinco dígitos octais.

Conforme os técnicos apertavam os botões era possível escutá-los murmurando entre si. Eles apertavam 1, 5, 2, 0 e 4 no *buffer de memória* enquanto diziam, "armazene em 204". Apertavam 1, 0, 2, 1, 3 e murmuravam, "carregue 213" no *acumulador*. Havia uma fileira de botões chamada acumulador!

Em dez minutos estava claro para minha mente de 15 anos que o 15 significava *armazenar* e o 10 *carregar*, e que o acumulador era o que estava sendo armazenado ou carregado, assim como, os outros números eram um dos 1.024 *words* no tambor (então isso é um *word*!).

Bit por bit minha mente ávida tornava-se ciente de mais e mais instruções sobre códigos e conceitos. Quando os técnicos saíram, eu sabia o básico sobre o funcionamento da máquina.

Naquela tarde, entrei no laboratório de matemática e comecei a fuçar no computador. Havia aprendido há muito tempo que é melhor pedir perdão do que permissão! Alternei um pequeno programa que multiplicava o acumulador por dois e, então, adicionava mais um. Coloquei 5 no acumulador, rodei o programa, e vi 13_8 no acumulador! Tinha funcionado!

Alternei vários outros programas simples como esse e todos eles funcionaram conforme planejado. Senti-me o mestre do universo!

Dias depois, percebi o quanto eu tinha sido imbecil e sortudo. Encontrei uma folha de instruções no laboratório. Ela mostrava todas as instruções e códigos de operações diferentes, incluindo vários que eu não havia aprendido ao observar os técnicos. Senti-me grato por ter interpretado aqueles que sabia da forma correta e entusiasmado com os demais. Entretanto, uma das instruções era HLT. O fato é que a instrução que me fez parar era um *word* com todos os zeros. E aconteceu de eu ter colocado um *word* com todos os zeros no final de cada um de meus programas para que pudesse carregá-lo dentro do acumulador a fim de limpá-lo. O conceito de uma pausa simplesmente não tinha me ocorrido. Eu achava que o programa simplesmente pararia quando terminasse!

Lembro-me de estar, a certa altura, sentado no laboratório de matemática vendo um de meus professores lutar para colocar um programa em funcionamento. Ele tentava digitar dois números em decimais no teletipo anexo e imprimir a soma. Qualquer um que já tentou escrever um programa como esse na linguagem de um minicomputador sabe que isso está longe de ser trivial. Você precisa ler os caracteres, convertê-los em dígitos e depois para binários, somá-los, convertê-los de volta para decimais e codificá-los como caracteres novamente. Acredite, é *bem* pior quando você entra no programa em binário pelo painel da frente!

Eu o vi colocar uma pausa em seu programa e então rodá-lo até que esse parasse (Essa é uma boa ideia!). Essa parada primitiva permitia que ele examinasse os conteúdos dos registros para ver o que o programa havia feito. Lembro-me de ele murmurar, "Uau, isso foi rápido!". Cara, tenho novidades para ele!

Não tenho ideia de qual era o algoritmo. Esse tipo de programação ainda era mágica para mim. E ele nunca falou comigo enquanto olhava por cima de seus ombros. Na verdade, ninguém falava comigo sobre esse computador. Acho que me consideravam um estorvo a ser ignorado, flutuando pelo laboratório de matemática como uma mariposa. Fica claro que nem estudantes, nem professores, desenvolveram um alto grau de habilidade social.

No final, ele colocou o programa para funcionar. Foi algo espetacular de assistir. Ele digitava lentamente os dois números porque, apesar de suas interjeições, aquele computador *não era rápido* (pense em ler palavras consecutivas de um tambor girando lá em 1967). Quando ele pressionava a tecla *retornar* após o segundo número, o computador piscava ferozmente um pouquinho e, então, começava a imprimir o resultado. Levava, em média, um segundo por dígito. Imprimiu tudo, menos o último dígito, piscando por mais uns cinco segundos e, então, imprimiu o dígito final e parou.

Por que aquela pausa antes do último dígito? Eu nunca soube. Mas aquilo fez com que eu percebesse que a abordagem para um problema pode ter um efeito profundo no usuário. Mesmo que o programa produzisse a resposta correta, *ainda* havia algo de errado com ele.

Isso era ensinar. Certamente, não era o tipo de ensino que eu esperava. Teria sido legal se algum daqueles professores tivessem me colocado sob suas asas e trabalhado comigo. Mas não importa, porque eu os *observava* e aprendia em um ritmo vertiginoso.

ENSINO NÃO CONVENCIONAL

Contei essas duas histórias porque ambas descrevem duas situações bem diferentes de ensino, sendo que nenhuma é do tipo para o qual o termo costuma ser aplicado. No primeiro caso, aprendi graças aos autores de um manual bem escrito. No segundo, ao observar pessoas que estavam tentando me ignorar ativamente. Nos dois casos, o conhecimento obtido foi profundo e fundamental.

Claro, tive também outros tipos de ensino. Houve o vizinho gentil que trabalhava na Teletype e me trouxe uma caixa com 30 transmissores telefônicos para brincar. Deixe-me dizer uma coisa: dê um transmissor e um transformador elétrico de um trenzinho para um garoto e ele conquistará o mundo!

Houve outro vizinho gentil que era um operador de rádio amador e me mostrou como utilizar um multímetro (que eu prontamente quebrei). Também teve o dono de uma loja de material de escritório que permitia que eu entrasse e "brincasse" com sua caríssima calculadora programável. E, também, o vendedor da *Digital Equipment Corporation* que deixava que eu "brincasse" com o PDP-8 e PDP-10 da loja.

Então chegou o grande Jim Carlin, um programador de BAL que evitou que eu fosse despedido de meu primeiro trabalho como programador ao me ajudar a dissociar o programa Cobol, que estava além de minha capacidade. Ele me ensinou a ler *core dumps* e a formatar meu código com linhas em branco apropriadas, linhas de estrelas e comentários. Ele me deu o primeiro empurrão em direção à arte. Sinto que não pude devolver o favor quando o desgosto de nosso chefe recaiu sobre ele um ano depois.

Mas, francamente, isso é tudo. Simplesmente, não havia muitos programadores seniores nos anos 1970. Em todos os outros lugares em que trabalhei, *eu* era o sênior. Não havia ninguém para me ajudar a descobrir o que um programador profissional fazia. Não havia um modelo padrão que me ensinasse como me comportar ou o que valorizar. Tive que aprender essas coisas por conta própria e não foi nada fácil.

EXPERIÊNCIA NA MARRA

Como já disse antes, acabei sendo despedido da fábrica de automação em 1976. Embora fosse bastante competente tecnicamente, não tinha aprendido a prestar atenção no negócio e nas metas da empresa. Datas e prazos não significavam nada para mim. Esqueci-me daquela grande demo na manhã de uma segunda-feira, deixei o sistema quebrado na sexta-feira e apareci atrasado no dia, com todo mundo me encarando com cara feia.

Meu chefe me enviou uma carta de aviso dizendo que eu tinha que promover mudanças imediatas em meu comportamento ou seria despedido. Isso foi um chamado de despertar significativo para mim. Reavaliei minha vida e carreira, e comecei a realizar mudanças em meu comportamento, algumas das quais você leu neste livro. Mas era muito pouco e tarde demais. O *momentum* havia ido inteiramente na direção errada, e pequenas coisas que não teriam importância antes tornaram-se significativas. Assim, embora tenha me esforçado para valer, no final eles me escoltaram para fora do prédio.

É desnecessário dizer que não há graça alguma em levar esse tipo de notícia para sua esposa grávida e filha de dois anos. Mas eu juntei os cacos e levei essa poderosa lição para meu emprego seguinte, que mantive por 15 anos e que se constituiu, de fato, na verdadeira base de minha carreira.

No final, sobrevivi e prosperei. Mas é preciso haver um caminho melhor. Teria sido muito melhor para mim se houvesse um mentor de verdade para me ensinar os pormenores. Alguém que eu pudesse observar enquanto ajudava em pequenas tarefas e que revisaria e direcionaria meus primeiros trabalhos. Alguém para agir como modelo e ensinar os valores e reflexos apropriados. Um sensei. Um mestre. Um professor.

APRENDIZAGEM

O que os médicos fazem? Você acha que os hospitais contratam médicos graduados e os jogam em salas de operações para desempenharem cirurgias no primeiro dia de emprego? Claro que não.

A profissão médica desenvolveu uma disciplina de intenso ensino, abrigada em rituais e consagrada pela tradição. A instituição médica supervisiona as universidades e certifica-se de que os graduandos recebam a melhor educação possível, e que envolve, de forma geral, uma *quantidade igual* de aulas teóricas e atividade clínica em hospitais, trabalhando com profissionais.

Após a formatura e antes de receberem sua licença, os novos aspirantes a médicos passam um ano nos hospitais em prática supervisionada e treinamento, na condição de internos.

Isso é treinamento intenso para o trabalho. O interno está cercado de modelos e professores.

Uma vez que esse período esteja completo, cada uma das especialidades médicas requer de três a cinco anos a mais de prática supervisionada e treinamento conhecido como residência. O residente ganha confiança ao assumir responsabilidades maiores, enquanto ainda está cercado e supervisionado por médicos seniores.

Muitas especialidades ainda requerem mais um (ou até três) ano de associação, no qual o estudante continua seu treinamento especializado e prática supervisionada.

Só *então* eles estão elegíveis para seus exames e recebem os certificados.

Essa descrição da profissão médica é de, certa forma, idealizada e provavelmente pouco precisa. Mas o fato que permanece é que quando as expectativas são altas, não enviamos graduados para uma sala: jogamos carne ocasionalmente e esperamos que coisas boas resultem disso. Então por que fazemos isso com software?

É verdade que há relativamente poucas mortes causadas por defeitos em softwares. Mas há perdas financeiras *significativas*. Empresas perdem somas enormes de dinheiro devido a treinamento inadequado de seus desenvolvedores.

De algum modo, a indústria de desenvolvimento de software assumiu a noção de que programadores são programadores e, que, uma vez graduado, você tem condições de codificar. Na verdade, não é raro que empresas contratem jovens saídos do Ensino Médio para suas "equipes" e peça que eles criem os sistemas mais críticos. É insano!

Pintores não fazem isso. Encanadores. Eletricistas. Droga, acho que nem mesmo cozinheiros se comportam assim! Tenho a sensação que as empresas que contratam graduados em CC deveriam investir mais no treinamento deles do que o McDonalds investe em seus funcionários.

Não vamos fingir que isso não é algo importante. Tem muita coisa em jogo. Nossa civilização inteira funciona em cima de software. São eles que movimentam e manipulam a informação que penetra nossa vida diária. Software controlam os motores, transmissores e freios de nossos carros. Eles mantêm nossos balanços bancários, enviam nossas contas e aceitam os pagamentos. Lavam nossas roupas e nos dizem a hora. São eles que colocam imagens na televisão, mandam nossas mensagens de texto, fazem chamadas telefônicas e nos entretêm quando estamos entediados. Estão em todos os lugares.

Visto que confiamos aos desenvolvedores de software todos os aspectos de nossas vidas, dos menores aos maiores, penso que um período de treinamento razoável e supervisionado não é algo inapropriado.

Aprendizado de Software

Então, *como* a profissão de desenvolvedor de software deveria iniciar os jovens graduados nas alas do profissionalismo? Quais os passos que eles deveriam seguir? Que desafios deveriam encontrar? Quais metas deveriam atingir? Vamos trabalhar isso de trás para frente.

Mestres

São programadores que já assumiram a liderança em mais de um projeto significativo de software. Normalmente eles terão mais de dez anos de experiência e terão trabalhado em diversos tipos de sistemas, linguagens e sistemas operacionais. Sabem como lidar e coordenar múltiplas equipes; são designers e arquitetos proficientes e podem codificar círculos em volta de todo mundo sem derramar uma gota de suor. Já receberam ofertas de posições na gerência, mas ou as recusaram, ou voltaram atrás após as terem aceitado, ou as integraram ao seu papel técnico primordial. Eles mantêm esse papel técnico por meio da leitura, estudo, prática, desempenho e ensino. É para um mestre que a empresa designará a responsabilidade técnica de um projeto. Pense, "Scotty".

Operadores

São programadores treinados, competentes e energéticos. Durante esse período em suas carreiras aprenderão a trabalhar bem em uma equipe até se tornarem líderes. Têm conhecimento da tecnologia atual, mas normalmente carecem da experiência com muitos sistemas. Eles têm a tendência de conhecer uma linguagem, um sistema e uma plataforma; porém, estão constantemente aprendendo mais. Níveis de experiência variam amplamente de acordo com cada um, mas a média gira em torno de cinco anos. Do lado extremo dessa média, temos mestres em ascensão; do outro, aprendizes recentes.

Operadores são supervisionados por mestres ou um colega sênior. Jovens operadores raramente recebem autonomia. Seu trabalho é supervisionado de perto. Seu código é examinado. À medida que ganham experiência, a autonomia cresce. A supervisão se torna menos direta e mais sutil. No final, ela se torna apenas uma revisão rápida.

Aprendizes/Internos

Graduados começam suas carreiras como aprendizes. Eles não têm autonomia e são supervisionados bem de perto pelos operadores. No começo, não recebem qualquer tarefa, simplesmente dão assistência aos operadores. Essa deve ser uma época de programação em par bastante intensa. Esse é o momento em que as disciplinas são aprendidas e reforçadas. É quando a base dos valores é criada.

Operadores são professores. Eles asseguram que os aprendizes conheçam os princípios e padrões do design, disciplinas e rituais. Ensinam TDD, refatoração, estimativas, e assim por diante. Recomendam leituras, exercícios e práticas, e revisam o progresso dos aprendizes.

Esse período deve durar um ano. A essa altura, se o operador estiver disposto a aceitar o aprendiz como um dos seus, fará uma recomendação aos mestres. Esses deverão avaliar o aprendiz por uma entrevista e por seus resultados até então. Se os mestres concordarem, o aprendiz se tornará um operador.

A Realidade

Tudo isso é idealizado e hipotético. Porém, se você trocar os nomes e cruzar as palavras, perceberá que não é nem um pouco diferente da forma como *esperamos* que as coisas sejam. Graduados são supervisionados por jovens líderes de equipes, que são supervisionados por líderes de projetos, e assim por diante. O problema é que, na maior parte dos casos, essa supervisão *não é técnica*! Na maioria das empresas não há supervisão técnica alguma. Os programadores recebem aumentos e eventuais promoções porque, bem, porque isso é o que se faz com programadores.

A diferença entre o que fazemos hoje e o meu programa idealizado de ensino é o foco no ensino, treinamento, supervisão e revisão técnica.

A diferença é a própria noção de valores profissionais e a sagacidade técnica que devem ser ensinados, nutridos, norteados, acarinhados e tornados parte de uma cultura. O que falta em nossa atual abordagem estéril é a responsabilidade que os mais velhos têm de ensinar os jovens.

HABILIDADE

Então, agora estamos em posição de definir esta palavra: *arte*. O que é isso? Para entender, vamos olhar para a palavra *artesão*. Esta palavra evoca na mente a habilidade e a qualidade. Experiência e competência. Um artesão é alguém que trabalha rapidamente, mas sem se apressar; que dá estimativas razoáveis e cumpre seus compromissos. Um artesão sabe quando dizer não, mas tenta dizer sim ao máximo. Um artesão é um profissional.

A arte é a mentalidade por trás de um artesão. É o *meme*[3] que contém valores, disciplinas, técnicas, atitudes e respostas.

Mas como o artesão adota esse meme? Como se atém a essa mentalidade?

O meme do artesão é passado de uma pessoa a outra. É ensinado pelos mais velhos para os mais jovens. É trocado entre colegas. É observado e reaprendido, conforme os velhos observam os jovens. A arte é um contágio, um tipo de vírus mental. Você o contrai observando os outros e permitindo que o meme se instale.

CONVENCENDO AS PESSOAS

Você não pode convencer ninguém a ser um artesão. Não dá para convencer as pessoas a aceitarem o meme da arte. Argumentos são ineficientes. Dados não têm consequências. Estudos de caso não significam nada. A aceitação de um meme não é uma decisão racional, tanto quanto não é emocional. Trata-se de uma coisa muito *humana*.

Então, como é que as pessoas adotam o meme da arte? Lembre-se de que um meme é contagioso, mas somente se ele for observado. Então, você deve torná-lo

3. Nota do tradutor: termo cunhado por Richard Dawkins em 1976 e que significa a unidade mínima de memória.

observável. Deverá agir como modelo. Tornar-se o artesão primeiro e permitir que sua arte seja mostrada. Então deixe que o meme faça o resto do trabalho.

Conclusão

A escola pode ensinar a teoria da programação de computadores. Mas ela não pode ensinar (e não ensina) a disciplina, prática e habilidade de ser um artesão. Essas são coisas adquiridas ao longo dos anos de ensino e supervisão pessoais. Chegou a hora de nós (que fazemos parte da indústria de software) encararmos o fato de que orientar o próximo lote de desenvolvedores para a maturidade recairá sobre nós, e não sobre as universidades. É hora de adotarmos um programa de ensino, internato e orientação a longo prazo.

Apêndice A
Uso das Ferramentas

Em 1978, eu trabalhava na Teradyne no sistema de testes telefônicos que descrevi anteriormente. O sistema tinha 80KSLOC de montagem M365. Mantínhamos o código-fonte em fitas.

As fitas eram similares àqueles cartuchos de fitas cassetes de 8 faixas que eram populares nos anos 1970. A fita era um loop sem fim e o drive só se movia em uma direção. Os cartuchos vinham em comprimentos de 10, 25, 50 e 100 polegadas. Quanto mais longa a fita, mais tempo levava para que ela fosse "rebobinada", pois o drive tinha que acelerá-la para frente até encontrar o "ponto de carregamento". Uma fita de 100 polegadas levava cinco minutos para chegar ao ponto, então escolhíamos os comprimentos das fitas com cuidado[1].

1. Essas fitas só podiam ser movidas em uma direção. Então, quando havia um erro de leitura, não havia como o drive voltar e ler novamente. Você precisava parar o que estava fazendo, reposicionar a fita no ponto de carregamento e recomeçar. Isso acontecia duas ou três vezes ao dia. Erros de escrita também eram bem comuns e o drive não podia detectá-los. Então, sempre escrevíamos as fitas em pares e depois checávamos o trabalho quando terminado. Se uma das fitas estivesse ruim, fazíamos uma cópia imediatamente. Se ambas estivessem ruins, o que era raro, recomeçávamos a operação inteira. A vida na década de 1970 era assim.

Claro que essas fitas eram subdivididas em arquivos. Você poderia ter tantos arquivos quanto coubessem em uma fita. Para encontrar um arquivo, você carregava uma fita e a adiantava pelo tempo que julgava suficiente. Mantínhamos uma lista do diretório de códigos-fonte na parede para que soubéssemos quantos arquivos tínhamos que pular para encontrarmos o que queríamos.

Havia um backup de 100 polegadas do código-fonte na prateleira do laboratório. Era rotulada "Master". Quando queríamos editar um arquivo, a carregávamos em um drive, e a fita de 10 polegadas em branco em outro. Posicionávamos a Master no arquivo que precisávamos e então copiávamos o arquivo na fita rascunho. Por fim, rebobinávamos ambas as fitas e guardávamos a Master na prateleira.

Havia um diretório especial com uma lista da Master em um quadro no laboratório. Depois que tivéssemos feito cópias dos arquivos que precisávamos editar, colocávamos um alfinete colorido no quadro, próximo ao nome do arquivo. Era assim que fazíamos a checagem!

Editávamos as fitas em um monitor. Nosso editor de texto, o ED-402, era na verdade, muito bom. Era muito similar ao VI. Nós líamos uma "página" da fita, editávamos os conteúdos, escrevíamos aquela página e íamos para a seguinte. Uma página tinha tipicamente 50 linhas de código. Você não podia adiantar a fita para ver as páginas que estavam por vir, e não podia voltar a fita para ver as páginas que já haviam sido feitas. Então usávamos listas.

De fato, assinalávamos nossas listas com todas as mudanças que pretendíamos fazer e *depois* começávamos as edições com base nas marcações. *Ninguém* escrevia ou modificava um código em um terminal! Isso era suicídio.

Depois que as mudanças eram feitas em todos os arquivos que precisávamos editar, mesclávamos aqueles arquivos com a Master para criar fitas de trabalho. Essas eram as fitas em que costumávamos rodar nossas compilações e testes.

Quando acabávamos de fazer os testes e estávamos certos de que as mudanças tinham funcionado, olhávamos para o quadro. Se não houvessem novos alfinetes, simplesmente renomeávamos nossa fita de trabalho como Master e tirávamos todos os alfinetes antigos. Se houvessem novos alfinetes, tirávamos os antigos e entregávamos nossa fita de trabalho para a pessoa cujos alfinetes ainda estivessem no quadro. Eles teriam que fazer a fusão.

Éramos três, e cada um tinha sua própria cor de alfinete, então era fácil saber quem havia checado seus arquivos. Como todos nós trabalhávamos no mesmo laboratório e conversávamos o tempo todo, o status do quadro ficava gravado em nossas cabeças. Portanto, constantemente, o quadro era redundante e não o usávamos.

FERRAMENTAS

Hoje em dia, os desenvolvedores de software têm uma ampla gama de ferramentas para escolher. A maioria não vale a pena de ser usada, mas há algumas que todo profissional precisa ser proficiente. Este capítulo descreve meu kit pessoal. Não fiz um exame completo de todas as demais ferramentas que estão por aí, então esta não deve ser considerada uma análise abrangente. Trata-se apenas das minhas preferências.

CONTROLE DO CÓDIGO-FONTE

Quando se trata de controle do código-fonte, as ferramentas de código aberto costumam ser nossa melhor opção. Por que? Elas são escritas por desenvolvedores para desenvolvedores. São o que desenvolvedores escrevem para si próprios quando precisam de algo que funcione.

Há algumas versões caras de controles de sistemas comerciais e "empresariais" disponíveis. Acho que elas não são tão vendidas a desenvolvedores quanto são para gerentes, executivos e "grupos que usam ferramentas". A lista de recursos delas é impressionante e atrativa. Infelizmente, com frequência, elas não têm os recursos que os desenvolvedores precisam de verdade. Seu ponto forte é *velocidade*.

UM SISTEMA DE CONTROLE DE CÓDIGO-FONTE "EMPRESARIAL"

Pode ser que sua empresa tenha investido uma pequena fortuna em um sistema de controle de código-fonte "empresarial". Se assim foi, minhas condolências. Provavelmente, é politicamente inapropriado que você saia por aí dizendo a todo mundo, "Tio Bob diz para não usar isso". Entretanto, há uma solução fácil.

Você pode checar seu código-fonte no sistema "empresarial" no final de cada iteração (uma vez a cada duas semanas ou algo assim) e usar um sistema de código aberto no decorrer dela. Isso deixa todo mundo feliz, não viola nenhuma regra da corporação e mantém sua produtividade alta.

VISÃO PESSIMISTA VERSUS OTIMISTA

Uma visão pessimista parecia boa ideia na década de 1980. Afinal, a forma mais simples de administrar a atualização simultânea de problemas é colocá-los em séries. Então, se *eu* estiver editando um arquivo, é melhor que *você* não esteja. Na verdade, o sistema de alfinetes coloridos que eu usava no final dos anos 1970 era uma forma de visão pessimista. Se houvesse um alfinete naquele arquivo, você não o editava.

Claro, visão pessimista tem seus problemas. Se eu trancar um arquivo e sair de férias, todo mundo que desejar editar aquele arquivo estará impedido. Na verdade, mesmo se eu mantiver aquele arquivo trancado um ou dois dias, posso atrasar todos os demais que desejarem efetuar mudanças.

Nossas ferramentas melhoraram bastante para efetuar a fusão de arquivos de código-fonte que foram editados simultaneamente. É incrível quando você reflete sobre isso. As ferramentas olham para dois arquivos diferentes e para seus ancestrais, e então aplicam múltiplas estratégias para descobrirem como integrar as mudanças simultaneamente. E fazem um ótimo trabalho.

Então, a era do olhar pessimista está acabando. Não precisamos mais trancar arquivos quando os checamos. Na verdade, sequer nos incomodamos em checar arquivos individuais, checamos o sistema como um todo e editamos qualquer arquivo que seja necessário.

Quando estamos prontos para checar nossas mudanças, fazemos uma operação de "atualização". Isso nos diz se alguém checou o código antes de nós, automaticamente faz a fusão entre as mudanças, encontra conflitos e ajuda-nos a fazer as fusões ainda restantes. Então, enviamos o código pronto.

Tenho muito a dizer, posteriormente neste capítulo, sobre o papel que testes automatizados e de integração contínua desempenham nesse processo. Por enquanto, vamos apenas dizer que nunca checamos o código que não passa em todos os testes. *Nunca.*

CVS/SVN

O antigo sistema de standby de controle de código é o CVS. Ele era bom em sua época, mas tornou-se inadequado para os projetos de hoje em dia. Embora seja muito bom para lidar com arquivos individuais e diretórios, não é eficiente para renomear arquivos ou excluir diretórios. E o porão... Bem, quanto menos falarmos sobre isso, melhor.

O Subversion, por outro lado, funciona muito bem. Ele permite que você cheque o sistema inteiro em uma única operação. Você pode facilmente atualizar, fundir e enviar. Contanto que você não entre em ramificação, sistemas SVN são bem simples de se lidar.

Ramificação

Até 2008, eu evitava todas as formas de ramificação, salvo as mais simples. Se um desenvolvedor criava uma ramificação, ela tinha que ser levada de volta à linha principal antes do final da iteração. Na verdade, eu era tão rígido sobre o assunto que ele era algo raramente feito em projetos nos quais eu estava envolvido.

Se você estiver usando SVN, continuo achando que isso é uma boa política. Entretanto, há algumas novas ferramentas que mudaram o jogo por completo. Elas são sistemas de controle de código *distribuído*. O meu favorito é o `git`; deixe-me falar um pouco sobre ele.

`git`

Comecei a usar o `git` no final de 2008 e, desde então, ele mudou tudo em minha forma de utilizar controle de código-fonte. Entender o porquê desta ferramenta ser tão inovadora está além do escopo deste livro. Mas comparar a Figura A-1 com a Figura A-2 pode equivaler a algumas das palavras que não serão inclusas neste livro.

A Figura A-1, a seguir, mostra algumas semanas de desenvolvimento em um projeto FITNESSE, enquanto era controlado por SVN. É possível ver o efeito de minha regra rígida sobre não fazer ramificações. Em vez disso, fazíamos atualizações frequentes, fusões e enviávamos para a linha principal.

- Mais correções de bugs.
- Docs dizem agora que Java 1.5 é necessário.
- Correção de bug.
- Muitas melhorias na usabilidade e comportamento.
- Limpeza.
- PAGE_NAME e PAGE_PATH adicionados às variáveis predefinidas.
- Adicionado ** ao !path widget.
- Link para a galeria de objetos.
- Galeria de objetos 2.0 (2008-06-09) copiada no tronco wiki.
- Compatibilidade com Firefox para seções desmontáveis invisíveis; .ce removido.
- Conjunto de documentação atualizado para todas as mudanças desde o último release.
- Aperfeiçoamento para lidar com valores nulos em símbolos salvos e renomeados.
- Atributo de "desbastação" adicionado às Propriedades para excluir uma página e sua página filha.
- Tipo-o corrigido.
- Checagem adicionada para página filha existente durante renomeação.
- Link "Renomear" adicionado para a seção de propriedade de Links Simbólicos; renomeado.
- Propriedades de página ajustadas em páginas recentemente adicionadas.
- Aprimoramento de links simbólicos para permitir todos os caminhos relativos e absolutos.
- Limpeza no renamPageResponder.
- Limpeza no PathParser. Pop -□ RemoveNameFromE.
- Limpeza no RenamePageResponder. Conteúdos de Teste arrumados.
- Uso de mensagens atualizadas
- Bug corrigidos em variáveis definidas em um diretório padrão pré-formatado.
- Adicionado respondedor explícito "getPage" para renderizar uma página em caso de fila.
- Torcer texto de ajuda TOC.
- Nova propriedade: texto de ajuda; TOCWidget tem balão rollover.
- Redundância nos testes de unidades J e testes de aceitação elementares.
- Remoção da última tag [acd].
- !contents - aprimoramento da opção f para mostrar conjunto de filtros na lista TOC;
- Aprimoramento de TOC para propriedades (-p e PROPERTY_TOC e F
- 1) Renderização das tags em links que não sejam Wiki;
- Prefixo http:// adicionado ao Google.com para transparência no firewall.
- Isolar ação de fila em argumentos de fila adicionais. Por exemplo.
- Acomodar sequências de consultas como "?suite&suiteFilter=X"; lógica anterior.
- Limpeza de AliasLinkWidget.

Figura A-1 FITNESSE sob subversion

A Figura A-2 mostra algumas semanas de desenvolvimento do mesmo projeto usando `git`. Como você pode ver, estamos ramificando e fundindo em todos os lugares. Isso não ocorreu por que eu relaxei com minha política; pelo contrário, simplesmente tornou-se a forma mais óbvia e conveniente de trabalhar.

Desenvolvedores individuais podem fazer ramificações curtas e vívidas e então fundi-las umas com as outras rapidamente.

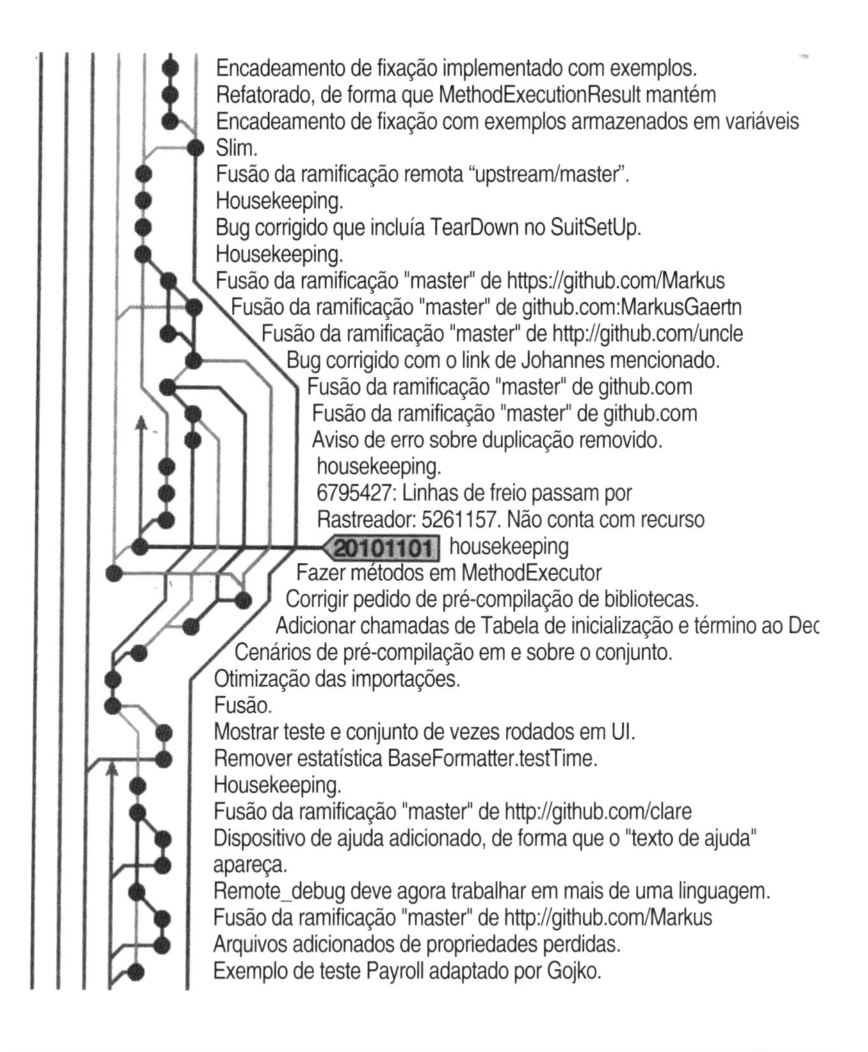

Figura A-2 FITNESSE sob `git`

Repare também que você não consegue ver uma linha principal verdadeira. Isso por que *não existe* uma. Quando se usa `git`, não existe algo como um repositório central ou uma linha principal. Todos os desenvolvedores mantêm sua própria cópia de todo o histórico do projeto em sua própria máquina. Eles verificam dentro e fora dessa cópia local e, então, fazem a fusão dela com as outras.

É verdade que mantenho um repositório especial no qual jogo todos os releases e as construções feitas. Mas chamar esse repositório de linha principal seria um equívoco. Trata-se apenas de um snapshot conveniente de todo o histórico, que cada desenvolvedor mantém localmente.

Se você não entender isso, tudo bem. `Git` é algo que no começo confunde a mente. É preciso se acostumar ao seu funcionamento. Mas vou dizer uma coisa: `git` e ferramentas similares, são o futuro do controle de código-fonte.

IDE/Editor

Como desenvolvedores, passamos a maior parte de nosso tempo lendo e editando códigos. As ferramentas que uso para esse propósito mudaram bastante ao longo das décadas. Algumas são imensamente poderosas e outras tiveram poucas alterações desde a década de 1970.

VI

Você pode achar que os dias de uso de *VI* como editor de desenvolvimento primário já passaram. Há ferramentas hoje em dia que superam de longe o *VI* e outros editores de texto simples como ele. Mas a verdade é que *VI* tem gozado de uma significativa retomada de popularidade devido à sua simplicidade, facilidade de uso, velocidade e flexibilidade. *VI* pode não ser tão poderoso quanto Emacs ou Eclipse, mas ainda é um editor poderoso e veloz.

Dito isso, não sou mais um usuário constante de *VI*. No passado, fui conhecido como o "deus" do *VI*, mas esses dias acabaram. Uso-o atualmente só de vez em quando, se precisar fazer uma edição rápida de um arquivo de texto. Cheguei a usá-lo recentemente para fazer uma breve mudança em um arquivo de fonte Java em um ambiente remoto. Mas a maior parte de código de verdade que tenho feito em *VI* nos últimos 10 anos é relativamente pequena.

Emacs

Emacs ainda é um dos editores mais poderosos que há por aí e, provavelmente, continuará sendo por algumas décadas. O modelo interno garante isso. Como uma ferramenta com propósito de edição geral, nada sequer chega perto dele. Por outro lado, acho que Emacs não pode competir com IDEs de propósito específico que agora dominam. Edição de código *não é* trabalho para um editor de propósito geral.

Nos anos 1990 eu era fanático por Emacs. Não considerava usar nada além dele. Os editores aponte e clique daquela época eram brinquedos patéticos que desenvolvedor algum podia levar a sério. Mas no início do século XXI fui apresentado ao IntelliJ, meu atual IDE de escolha, e nunca mais olhei para trás.

Eclipse/IntelliJ

Sou um usuário de IntelliJ. Adoro. Uso-o para escrever Java, Ruby, Clojure, Scala, Javascript e muitos outros. Essa ferramenta foi feita por programadores que entendem o que seus pares precisam quando escrevem um código. Ao longo dos anos, eles raramente me desapontaram e quase sempre me satisfizeram.

O Eclipse é similar em capacidade e escopo ao IntelliJ. Os dois estão muito à frente de Emacs quando se trata de editar Java. Existem outros IDEs nessa categoria, mas não irei mencioná-los aqui porque não tenho experiência direta com eles.

Os recursos que colocam esses IDEs acima de ferramentas como Emacs são os modos extremamente poderosos pelos quais elas ajudam a manipular o código. Em IntelliJ, por exemplo, você pode extrair uma superclasse de uma classe com um simples comando. Pode renomear variáveis, extrair métodos e converter herança em composição, entre diversos outros recursos.

Com essas ferramentas, a edição de códigos não tem mais a ver com linhas e caracteres, tanto quanto tem a ver com manipulações complexas. Em vez de pensar sobre os próximos novos caracteres e linhas que você precisará digitar, você pensa sobre as próximas transformações que precisará fazer. Em tempo, o modelo de programação é notavelmente diferente e altamente produtivo.

Claro, essa capacidade tem um custo. A curva de aprendizado é alta e o tempo de preparação do projeto não é insignificante. Essas ferramentas não são *peso leve*. Precisam de muitos recursos do computador para rodar.

TEXTMATE

TextMate é poderoso e peso leve. Não consegue fazer as maravilhosas manipulações que o INTELLIJ e o Eclipse podem. Não tem a poderosa biblioteca do Emacs. Nem a velocidade e fluidez do *VI*. Por outro lado, a curva de aprendizado é pequena e sua operação intuitiva.

Eu uso o TextMate de tempos em tempos, especialmente para o ocasional C++. Para um projeto grande, usaria Emacs, mas estou muito enferrujado para me dar a todo o trabalho de usar Emacs para pequenas tarefas em C++ que tenho.

ACOMPANHAMENTO DE ITENS

No momento, estou utilizando Pivotal Tracker. É um sistema simples e elegante de ser usado. Ele se enquadra perfeitamente na abordagem interativa da Agile. Permite que os stakeholders e desenvolvedores se comuniquem rapidamente. Estou bem satisfeito com ele.

Para projetos bem pequenos, às vezes utilizo Lighthouse. É bem rápido e fácil de estabelecer e usar. Mas não chega perto da capacidade do Tracker.

Também já usei simplesmente um wiki. Eles são ótimos para projetos internos. Permitem que você estabeleça qualquer esquema que deseja. Você não é forçado para determinado processo ou estrutura. São bem fáceis de serem entendidos e utilizados.

Às vezes, o melhor sistema de acompanhamento de itens é um conjunto de cartões e um quadro com um boletim. O quadro é dividido em colunas como "a fazer", "em progresso" e "feito". Os desenvolvedores simplesmente movem os cartões de uma coluna para a próxima, conforme apropriado. De fato, esse pode ser o sistema mais comum usado pelas equipes da Agile hoje.

A recomendação que faço aos meus clientes é começar com um sistema manual como o quadro com o boletim antes de adquirir uma ferramenta de acompanhamento. Uma vez que você domina o sistema manual, terá o conhecimento que precisa para selecionar a ferramenta apropriada. E, de fato, a escolha apropriada pode simplesmente ser continuar a usar o sistema manual.

CONTAGEM DE BUGS

Equipes de desenvolvedores precisam de uma lista de itens para trabalhar. Ela inclui novas tarefas e recursos, assim como bugs. Para qualquer equipe de tamanho razoável (de 5 a 12 desenvolvedores), a quantidade de itens dessa lista deve ser de dezenas a centenas. Não *milhares*.

Se você tiver milhares de bugs, algo está errado. Se houver milhares de recursos e/ou tarefas, algo está errado. Em geral, a lista de itens deve ser relativamente pequena e, portanto, gerenciável com uma ferramenta peso leve como um wiki, Lighthouse ou Tracker.

Há algumas ferramentas comerciais por aí que parecem ser muito boas. Já vi clientes usando-as, mas não tive a oportunidade de trabalhar diretamente com elas. Não me oponho a ferramentas como essas, contanto que o número de itens permaneça pequeno e gerenciável. Quando as ferramentas de acompanhamento de itens são forçadas a rastrearem milhares deles, então a palavra "rastrear" perde seu significado. Elas se tornam "lixeiras de itens" (e, geralmente, cheiram como uma lixeira também).

CONSTRUÇÃO CONTÍNUA

Ultimamente, tenho utilizado Jenkins como meu mecanismo de construção contínua. É leve, simples e quase não tem curva de aprendizado. Você faz o download, roda, faz algumas configurações simples e rápidas e está apto a utilizá-lo. Bem legal.

Minha filosofia sobre construção contínua é simples. Conecte-o ao seu sistema de controle do código-fonte. Sempre que alguém checar o código, ele deve fazer uma construção automaticamente e então reportar o status para a equipe.

A equipe deve simplesmente manter a construção funcionando em todas as ocasiões. Se ela falhar, será um evento "pare tudo" e a equipe deve se reunir rápido para resolver o problema. Sob nenhuma circunstância se deve permitir que a falha persista por um dia ou mais.

Para o projeto FITNESSE, eu faço com que um desenvolvedor rode o script de construção contínua antes da entrega. A construção leva menos que 5 minutos, então isso não é oneroso. Se houver problemas, os desenvolvedores os resolvem antes da entrega. Portanto, a construção contínua automática raramente traz qualquer complicação. A fonte mais comum de falhas acabam sendo problemas relacionados ao ambiente, uma vez que meu ambiente de construção automática é bem diferente do ambiente dos desenvolvedores.

Ferramentas de Testes de Unidades

Cada linguagem tem sua própria ferramenta de testes particular. Minhas favoritas são JUnit para Java, rspec para Ruby, NUnit para .Net, Midje para Clojure e CppUTest para C e C++.

Qualquer ferramenta que você escolha, há sempre alguns recursos básicos que devem fornecer suporte.

1. Deve ser rápido e fácil executar os testes. Independentemente de isso ser feito por plugins IDE ou por simples ferramentas de comandos de linhas, isso é irrelevante, contanto que os desenvolvedores consigam rodar esses testes à sua escolha. A postura ao se rodar os testes deve ser trivial.

   Por exemplo: eu rodo meus testes CppUTest ao digitar *command-M* em TextMate. Tenho esse comando estabelecido para rodar meu *makefile*, que automaticamente aciona os testes e imprime um relatório de uma linha se todos os testes passarem. JUnit e rspec são ambos apoiados por IntelliJ, então tudo que eu tenho que fazer é pressionar um botão. Para NUnit, uso o plugin Resharper que me dá o melhor botão.

2. A ferramenta deve fornecer uma indicação visual clara de aceite/falha. Não importa se é uma barra verde em um gráfico ou uma mensagem em um console que diz "Todos os Testes Passaram". O importante é que você seja capaz de dizer se os testes passaram rápido e sem ambiguidade. Se precisar ler um relatório enorme, ou pior, comparar o output dos dois arquivos para dizer se os testes passaram, então esse ponto está comprometido.

3. A ferramenta deve dar uma indicação visual clara de progresso. Não importa se for uma métrica gráfica ou uma sequência de pontos, contanto que você possa dizer que o progresso ainda está sendo feito e que os testes não foram abortados ou paralisados.

4. A ferramenta deve desencorajar casos de testes individuais de se comunicarem uns com os outros. JUNIT faz isso ao criar um novo exemplo de classe de teste para cada método de teste, evitando portanto, que os testes usem exemplos variáveis para se comunicarem entre si. Outras ferramentas rodam os métodos de teste em ordem aleatória, de forma que você não possa depender de um teste precedendo outro. Qualquer que seja o mecanismo, a ferramenta deve ajudar a manter seus testes independentes. Testes dependentes são uma grande armadilha na qual você não gostará de cair.

5. A ferramenta deve facilitar a escrita de testes. JUNIT faz isso ao fornecer um API conveniente para fazer afirmações. Ela também usa reflexão e atributos em Java para distinguir funções de teste das normais. Isso permite um bom IDE para identificar automaticamente todos os nossos testes, eliminando o aborrecimento de conectar conjuntos e criar listas de testes propensas a erro.

FERRAMENTAS DE TESTES DE COMPONENTES

Essas são ferramentas para testes de componentes em nível API. Seu papel é garantir que o comportamento dos componentes seja especificado em uma linguagem que a empresa e o pessoal da GQ possam entender. Na verdade, a situação ideal é quando analistas de negócios e a GQ possam *escrever* essa especificação usando a ferramenta.

A DEFINIÇÃO DE *ACABOU*

Acima de qualquer outra, as ferramentas de testes de componentes são os meios pelos quais especificamos o que *acabou* significa. Quando analistas de negócios e a GQ colaboram para criar uma especificação que define o comportamento de um componente e quando essa especificação pode ser executada como um conjunto de testes que passam ou falham, então *acabou* assume um significado sem ambiguidade: "Todos os Testes Passaram".

FITNESSE

Minha ferramenta de teste favorita é a FITNESSE. Eu escrevi grande parte dela, portanto ela é meu bebê.

FitNesse é um sistema com base em wiki, que permite aos analistas de negócios e especialistas de GQ escreverem testes em um formato tabular bem simples. Essas tabelas são similares às tabelas Parnas em forma e intenção. Os testes podem ser rapidamente transformados em conjuntos, que são rodados conforme nossa vontade.

FitNesse é escrito em Java, mas pode testar sistemas em qualquer linguagem porque ela se comunica com um sistema de testes subjacente que pode ser escrito em qualquer linguagem. As linguagens de suporte incluem Java, C#/. NET, C, C++, Python, Ruby, PHP, Delphi, entre outras.

Há dois sistemas de testes que constituem a base de FitNesse: Fit e Slim. Fit foi escrita por Ward Cunningham e foi a inspiração original da FitNesse, e é da mesma família. Slim é um sistema de teste bem mais simples e portátil, que é favorecido pelos usuários da FitNesse hoje em dia.

Outras Ferramentas

Conheço diversas outras ferramentas que poderia classificar com testes de componentes.

- RobotFX é uma ferramenta desenvolvida pelos engenheiros da Nokia. Ela usa um formato tabular similar a FitNesse, mas não tem base em wiki. Ela simplesmente roda arquivos planos preparados em Excel ou similares. Ela é escrita em Python, mas pode testar sistemas em qualquer linguagem, usando as pontes apropriadas.
- Green Pepper é uma ferramenta comercial que tem várias similaridades com FitNesse. Tem base na confluência popular wiki.
- Cucumber é uma ferramenta de texto plana dirigida para Ruby, mas capaz de testar várias outras plataformas. A linguagem da Cucumber é o popular template Given/When/Then.
- JBehave é similar a Cucumber e é a origem lógica de Cucumber. É escrito em Java.

Ferramentas de Testes de Integração

Ferramentas de testes de componentes também podem ser utilizadas para muitos testes de integração, mas não são apropriadas para testes que sejam conduzidos por meio de UI.

Em geral, não queremos conduzir muitos testes por UIs porque elas são notavelmente voláteis. Essa volatilidade torna os testes muito frágeis. Como já foi dito, há alguns testes que precisam ser rodados por UI – ainda mais importante, *testes de* UI. Fora isso, alguns testes de ponta a ponta devem passar pelo sistema completo, incluindo UI.

As ferramentas de que mais gosto são Selenium e Watir.

UML/MDA

No começo dos anos 1990, eu tinha esperança de que a indústria da ferramenta CASE trouxesse uma mudança radical na forma como os desenvolvedores de software trabalhavam. Quando olhava para o futuro naquela época, achava que àquela altura todo mundo estaria escrevendo códigos em diagramas em um nível mais alto de abstração e que o código textual seria coisa do passado.

Cara, como eu estava errado. Não só esse sonho não aconteceu, como toda a tentativa de ir em direção a ele fracassou de forma retumbante. Não que ferramentas e sistemas que estavam por aí não tivessem potencial; é só que elas simplesmente não realizam o sonho de fato, e parece que quase ninguém estava disposto a usá-las.

O sonho era que os desenvolvedores de software pudessem deixar para trás os detalhes de código textual e sistemas autorais em prol de uma linguagem de diagramas com um nível mais elevado. De fato, à medida que o sonho prossegue, podemos um dia não precisar mais de programadores. Arquitetos podem criar sistemas inteiros a partir de diagramas UML. Máquinas, grandiosas e legais, e indiferentes ao apuro de meros programadores, que transformariam esses diagramas em código executável. Esse era o grande sonho da Model Driven Architecture (MDA).

Infelizmente, esse grande sonho tem uma pequena falha. MDA assume que o problema é o código. Mas o código *não* é o problema. Ele nunca foi o problema. O problema são os *detalhes*.

Os Detalhes

Programadores são gerentes de detalhes. Isso é o que fazemos. Especificamos o comportamento de sistemas nos mínimos detalhes. Usamos linguagem textual para isso (código) por causa de sua conveniência (considere a Língua Inglesa, por exemplo).

Quais tipos de detalhes gerenciamos?

Você sabe a diferença entre os dois caracteres \n e \r? O primeiro, \n, é um line feed. O segundo, \r, é um carriage return. O que é um carriage*?

Nas décadas de 1960 e 1970, um dos dispositivos mais comuns de saída para computadores era o teletipo. O modelo ASR33[2] era o mais comum.

O aparelho consistia de uma cabeça de impressão que podia imprimir dez caracteres por segundo. Ela era composta de um pequeno cilindro com os caracteres em relevo. O cilindro rodava e se elevava de forma que o caractere correto ficasse de frente para o papel, então um pequeno martelo apertava o cilindro contra o papel. Tinha uma fita de tinta entre o cilindro e o papel, e a tinta era transferida para o papel na forma do caractere.

A cabeça da impressora rodava em um carriage. Com cada caractere, o carriage se movia em um espaço para a direita, levando a cabeça da impressora consigo. Quando chegava ao final da linha com 72 caracteres era necessário retornar explicitamente o carriage ao enviar os caracteres de retorno (\r = 0 x 0D), do contrário, a cabeça da impressora continuaria a imprimir caracteres na mesma coluna, tornando-a um retângulo preto e sujo.

Claro que isso não era o suficiente. Retornar o carriage não movia o papel para a linha seguinte. Se você o retornasse sem enviar um caractere line feed (\n = 0 x 0A), então a nova linha imprimiria em cima da antiga.

Portanto, para um teletipo ASR33, o final da sequência da linha era "\r\n". Na verdade, você precisava ser cuidadoso com isso, pois o carriage podia levar mais do que 100 ms para retornar. Se você enviasse "\n\r", então o caractere seguinte podia muito bem ser impresso enquanto o carriage retornava, criando um caractere manchado no meio da linha. Por segurança, protegíamos com frequência a sequência do fim de linha com um ou dois caracteres rubout[3] `(Ø x FF)`.

* Nota do tradutor: originalmente, *carriage return* era o nome da alavanca ou mecanismo que uma máquina de escrever usava para que o cilindro onde ficava o papel retornasse ao lado esquerdo após uma linha de texto ser escrita.

2. http://em.wikipedia.org/wiki/ASR-33_Teletype

3. Caracteres rubout eram bem úteis para editar fitas de papel. Por convenção, acabaram sendo ignorados. Seu código 0 x FF significava que todos os espaços naquela fileira haviam sido ocupados, ou seja, qualquer caractere poderia

Nos anos 1970, os teletipos começaram a sair de uso, passando a operar sistemas como UNIX, que abreviavam a sequência de fim de linha para simplesmente "\n"; entretanto, outros sistemas operacionais, como DOS, continuaram a usar a convenção "\r\n".

Quando foi a última vez que você teve que lidar com arquivos de texto que usavam a convenção "errada"? Encaro esse problema, pelo menos, uma vez por ano. Dois arquivos de código-fonte idênticos não combinam e não geram somas de verificação idênticas porque usam finais de linha diferentes. Os editores de texto não quebram a linha apropriadamente ou dobram o espaço de texto porque os finais das linhas estão "errados". Programas que não esperam linhas em branco travam porque interpretam "\r\n" como duas linhas. Alguns programas reconhecem "\r\n", mas não reconhecem "\n\r". E assim por diante.

Isso é o que eu quis dizer quando falei em *detalhes*. Tente codificar a terrível lógica para separar os finais das linhas em UML!

Sem Esperança, Sem Mudança

A esperança do movimento MDA era que uma grande quantidade de detalhes fosse eliminada pelo uso de diagramas em vez de código. Essa esperança provou até o momento estar desamparada. Acontece que simplesmente não há tantos detalhes a mais embutidos no código que possam ser eliminados por figuras. Fora isso, figuras contêm seus próprios detalhes ocasionais. Elas têm uma gramática e sintaxe próprias, além de regras e restrições. Portanto, no final, a diferença em detalhes é relativa.

A esperança do MDA era que diagramas provassem estar em um nível de abstração mais alto que o código, assim como Java está em um nível superior a Assembler. Mas essa esperança, novamente, provou ser deslocada. A diferença no nível de abstração é pequena.

E, finalmente, digamos que algum dia alguém invente uma linguagem de diagramas realmente útil. Não serão arquitetos desenhando esses diagramas, serão programadores. Os diagramas simpl esmente se tornarão o novo código e será preciso ter programadores para *desenhá-los* porque, no final, tudo tem a ver com detalhes e esses são regidos por programadores.

ser convertido para um rubout ao criar espaços adicionais. Portanto, se você cometesse um erro ao digitar o programa, poderia retornar o toque, enviar rubout e, então, continuar a digitar.

CONCLUSÃO

Ferramentas de software tornaram-se bem mais poderosas e diversas desde que eu comecei a programar. Meu atual kit de ferramentas é um simples subconjunto desse grande grupo. Uso `git` para controle do código-fonte; Tracker para acompanhamento de itens; Jenkins para Construção Contínua; INTELLIJ como meu IDE; XUnit para testes; e FITNESSE como teste de componentes.

Minha máquina é um Macbook Pro, 2.8Ghz Intel Core i7, com uma tela de 17 polegadas, 8GB de RAM, 512GB SSD, com dois monitores extras.

ÍNDICE

O

P

R

S

T

U

V

W

Z

Este livro foi impresso nas oficinas gráficas da Editora Vozes Ltda.,
Rua Frei Luís, 100 – Petrópolis, RJ.